UN CIEL RADIEUX

JIRÔ TANIGUCHI

UN CIEL RADIEUX

Traduit du japonais par Patrick Honnoré

casterman

SOMMAIRE

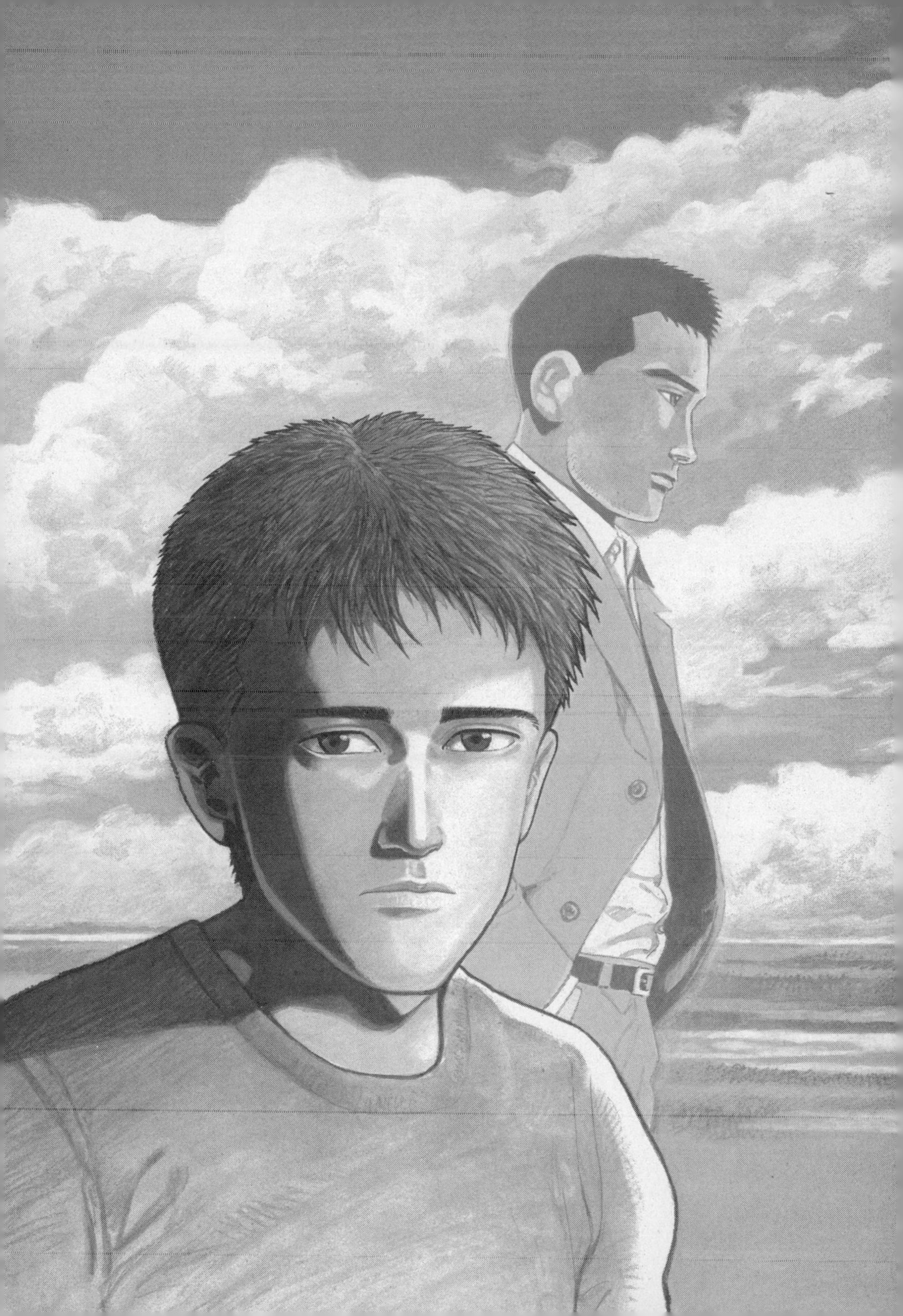

Kazuhiro Kubota... C'est son nom... Cet autre qui vit en moi...
Mais qui croira mon histoire ?
Moi-même parfois, je me demande si tout cela est réellement arrivé...

Chapitre 1 : Le Réveil

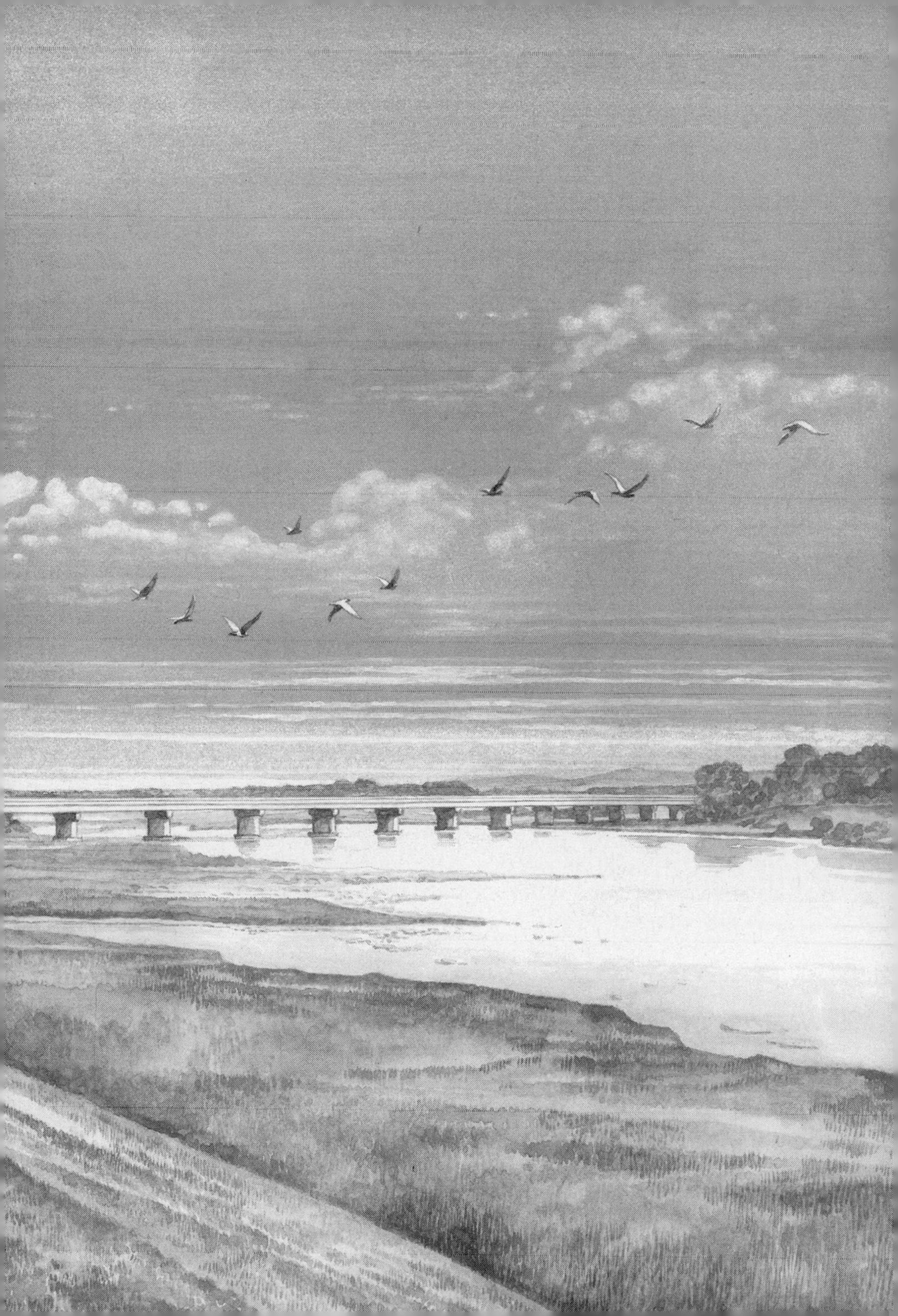

VRÔÔÔÔ
3 juillet, 00:51.

Arai
gniii
GNiii

CLONG

CRAJSSSS
BLAM
CLING
CLING

Wiii
Wiii
Wiii
ACCIDENT SUR L'AVENUE YAGAWA À FUCHÛ...
UN MOTARD... SEXE MASCULIN, MOINS DE VINGT ANS JE PENSE...
Wiiiiuuooo
FRACTURES MULTIPLES... CHOC FRONTAL.
FRÉQUENCE RESPIRATOIRE 20, RYTHME CARDIAQUE 130 ...
ÉTAT COMATEUX ...
FRACTURES ; CONTUSIONS DE NIVEAU 30 ENVIRON ; COMA, LUI AUSSI ...
C'EST LE CONDUCTEUR DE LA FOURGONNETTE ; LA QUARANTAINE ...
ATTENDS ! Y EN A UN AUTRE... LUI AUSSI, BLESSURES MULTIPLES ...

Wiii
Wiii
ALLÔ, LES URGENCES ?
DEUX BLESSÉS GRAVES SONT EN ROUTE, PRÉPAREZ LE BLOC !
Wiii
BIEN REÇU !
Wiii
Wiii

13 juillet. Nuit.

Dix jours déjà...

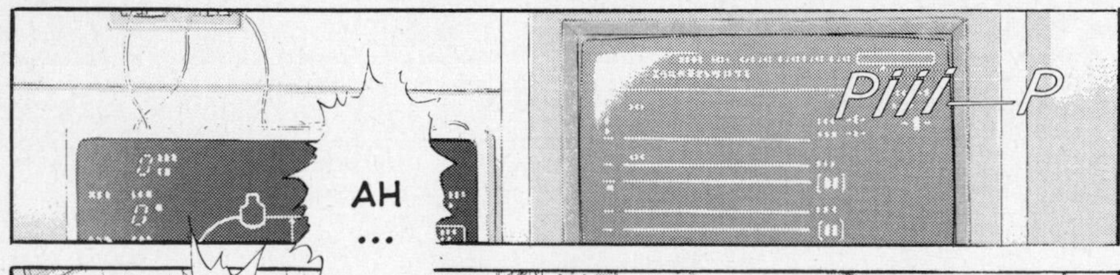
Piii—P
AH ...

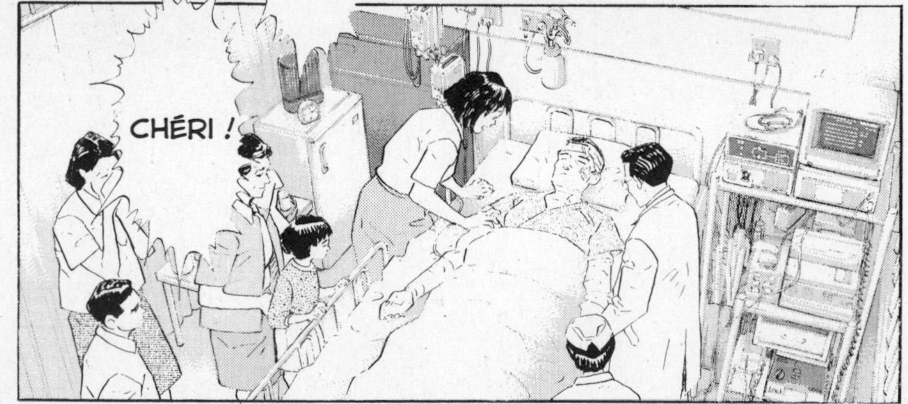
CHÉRI !

NON !
NE MEURS PAS !
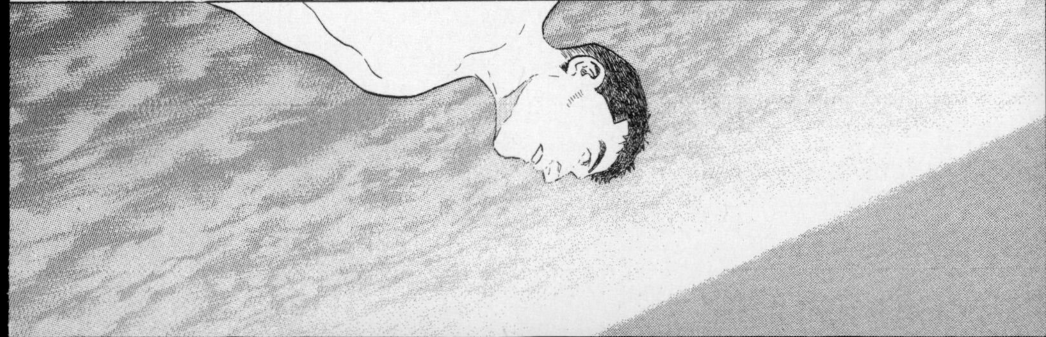

Mais...
Où suis-je ?
Non !

Je dois retourner...

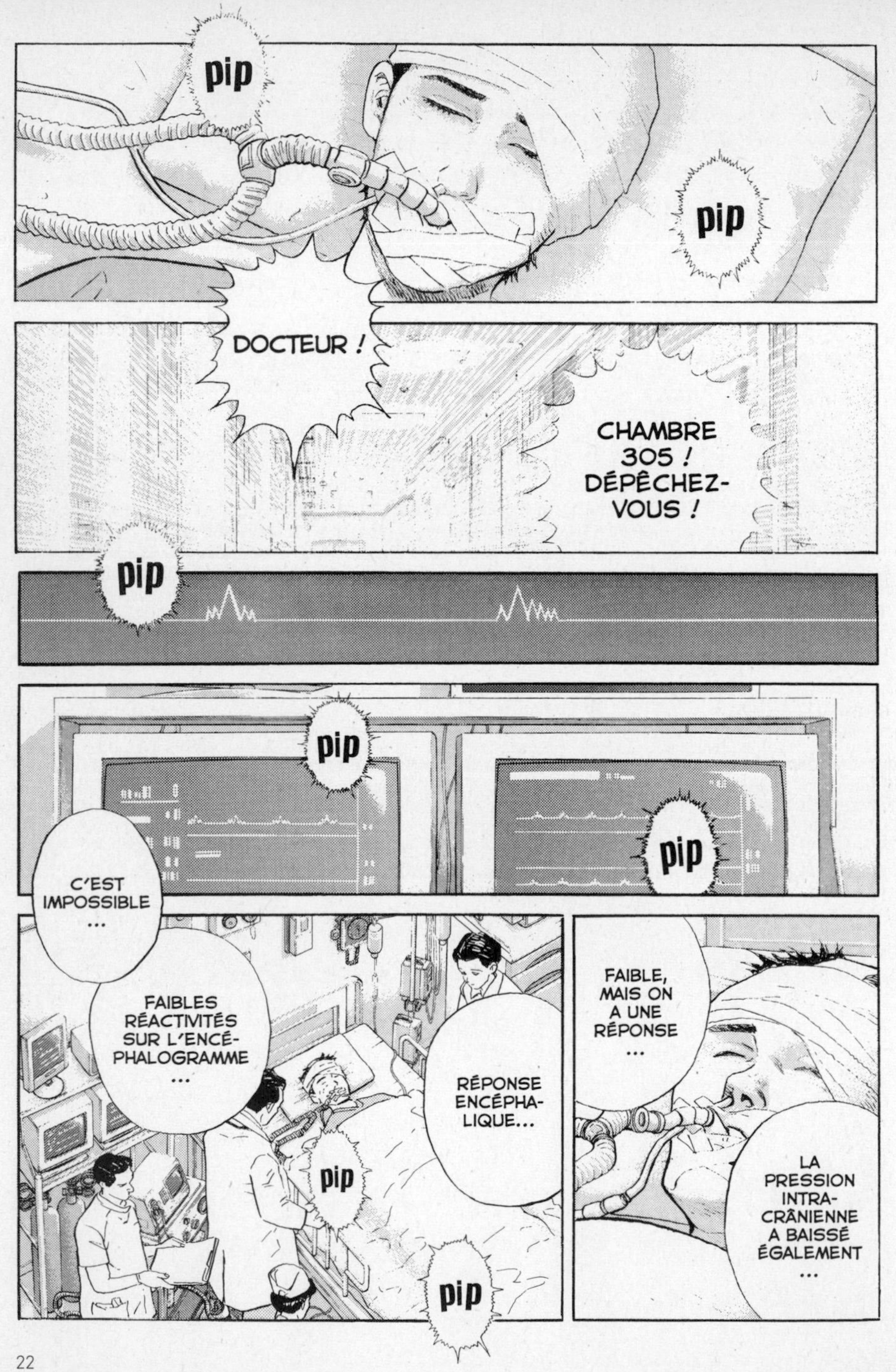
pip
pip
DOCTEUR !
CHAMBRE 305 ! DÉPÊCHEZ-VOUS !
pip
pip
pip
C'EST IMPOSSIBLE ...
FAIBLES RÉACTIVITÉS SUR L'ENCÉ-PHALOGRAMME ...
RÉPONSE ENCÉPHA-LIQUE...
pip
pip
FAIBLE, MAIS ON A UNE RÉPONSE ...
LA PRESSION INTRA-CRÂNIENNE A BAISSÉ ÉGALEMENT ...

15 juillet.
pip
L'ACTIVITÉ ENCÉPHALIQUE S'EST ENCORE AMÉLIORÉE CETTE NUIT.
pip
PRESSION INTRACRÂNIENNE STABLE...
pip
pip
AVEC UN CORPS JEUNE COMME ÇA...
ON EN A DÉJÀ VU RESSORTIR DU COMA APRÈS SIX MOIS...

22 juillet - Vent fort.
FYOUUU
ÇA FAIT UNE SEMAINE QUE L'ACTIVITÉ ENCÉPHALIQUE A REPRIS. LE POULS, LUI AUSSI, A AUGMENTÉ...
CARDIO ET ENCÉPHALOGRAMME STABLES...
pip
TOUT SE DÉROULE BIEN...
NOUS AVONS SUPPRIMÉ LA RESPIRATION ARTIFICIELLE HIER SOIR.
pip
C'EST STUPÉFIANT... CETTE FORCE VITALE...
À CE RYTHME, IL POURRAIT MÊME BIEN REPRENDRE CONSCIENCE UN JOUR...
UN MIRACLE EST TOUJOURS POSSIBLE ...

25 juillet. Le deuxième typhon de l'année venait de passer. Le matin se levait, un matin chaud et humide de début d'été. J'ai ouvert les yeux, après vingt-deux jours de coma. Un vrai miracle...

Mais...
... moi, je n'ai aucun souvenir de cet instant...
TAKUYA !
TAKUYA !
C'EST MAMAN ! TU ME VOIS ?

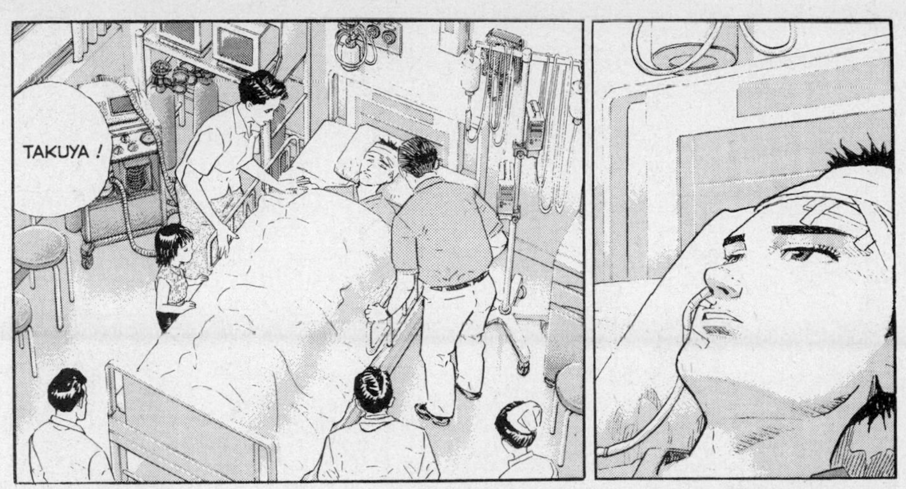
TAKUYA !

DOCTEUR
...
IL VIENT DE REPRENDRE CONNAISSANCE
...
CELA PEUT PRENDRE UN PEU DE TEMPS AVANT QUE LA ZONE DE LA MÉMOIRE RETROUVE UN CHEMIN VERS LE CORTEX...

NOUS VERRONS COMMENT CELA ÉVOLUE
...
...

VOUS VOULEZ DIRE
...
... QU'IL POURRAIT RESTER AMNÉ-SIQUE ?
NON
...
IL EST ENCORE TROP TÔT POUR SE PRONONCER
...

MAIS IL EST RESTÉ PRÈS D'UN MOIS DANS LE COMA. TOUT CELA N'A RIEN D'ÉTONNANT
...
DEMAIN, NOUS LUI FERONS UN SCANNER ET NOUS VERRONS...

POUR ÊTRE HONNÊTE, APRÈS L'ACCIDENT, J'AURAIS DÉJÀ ÉTÉ HEUREUX DE POUVOIR LE RAMENER À L'ÉTAT DE LÉGUME...
VOUS VOUS RENDEZ COMPTE ! C'EST LA FORCE DE LA VIE, ÇA ! C'EST FORMIDABLE !

TAKU-YA !
BRAVO, TAKUYA !

QUEL COURAGE, TAKUYA !

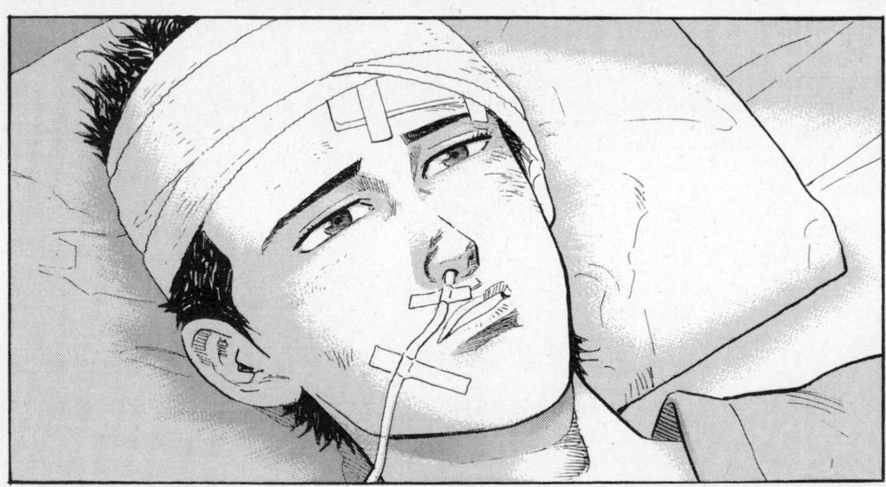

28 juillet - Pluie.
TAKUYA ...
C'EST MÊME INCROYABLE QUE TU SOIS ENCORE EN VIE...
ÇA A ÉTÉ UN TERRIBLE ACCIDENT.
TU ES À L'HÔPITAL PARCE QUE TU AS EU UN ACCIDENT ...
TA MOTO... SI TU AVAIS VU DANS QUEL ÉTAT ELLE ÉTAIT ...

De ce jour, une autre mémoire, qui n'était pas la mienne, a commencé à me revenir...
TAKUYA ...
L'ACCIDENT... TU TE SOUVIENS ?
L'accident...

Ah oui...

J'étais sorti pour une livraison...

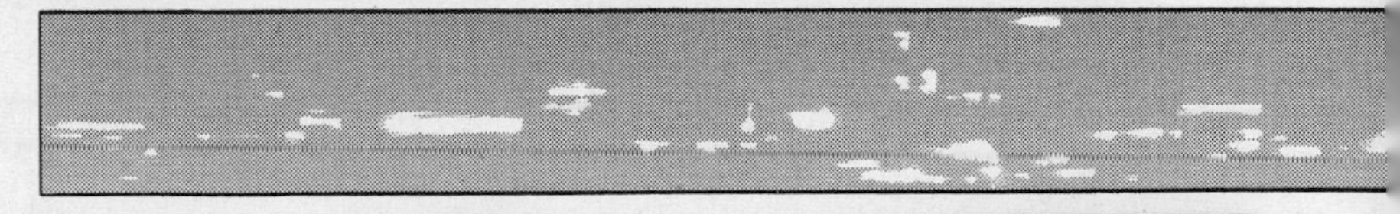

À cause du manque de personnel à l'usine,
la production était en retard...
Les heures sup tous les jours...

Je travaillais pas loin de
douze heures par jour...

J'étais au bout du rouleau...
La fatigue...

On meurt d'excès de travail, aussi...

YOUFF
Je n'y pensais pas mais je trimballais ça dans un coin de ma tête...

La mort...

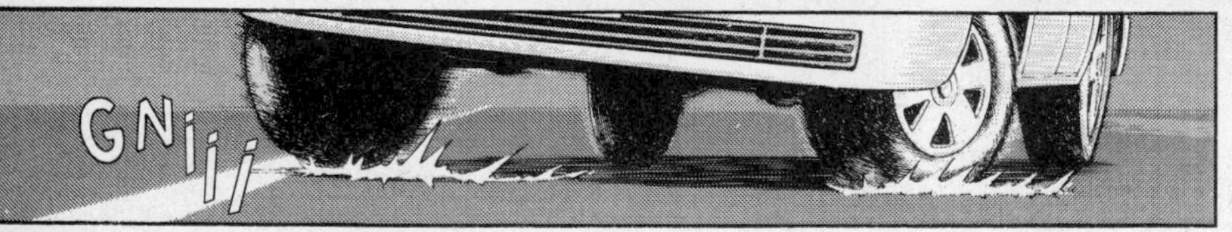
GNIII

VRÔÔÔ

Vyiii

GNiiii

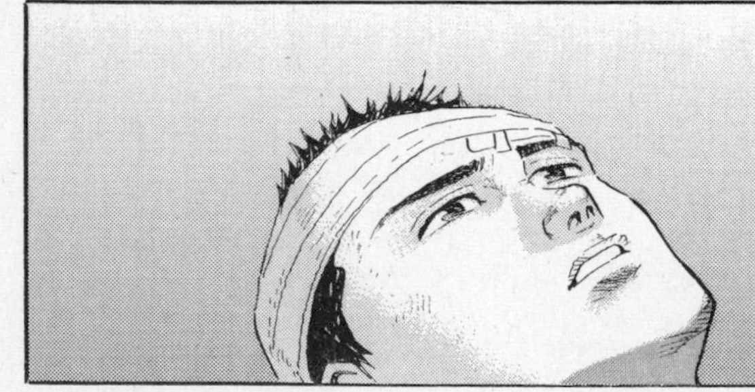
Ensuite, je ne sais pas...
Quand je me suis réveillé, j'étais à l'hôpital...

Je comprends maintenant...

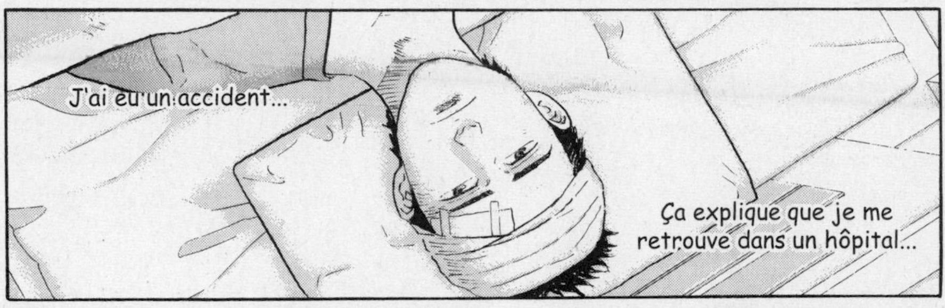
J'ai eu un accident...
Ça explique que je me retrouve dans un hôpital...

COMMENT ÇA VA ?

TU TE SOUVIENS DE QUELQUE CHOSE ?
TU TE RAPPELLES L'ACCIDENT, PEUT-ÊTRE ?

TAKUYA ! TU ME RECONNAIS ?
C'EST MAMAN !
...

TAKUYA !
RISA, TA PETITE SŒUR, TU LA RECONNAIS ?
...

TAKUYA !

Ça ne me dit rien du tout...

J'ai l'impression que tous ces gens me confondent avec quelqu'un d'autre...
À moins que...
je sois encore dans le coma et que je délire ?

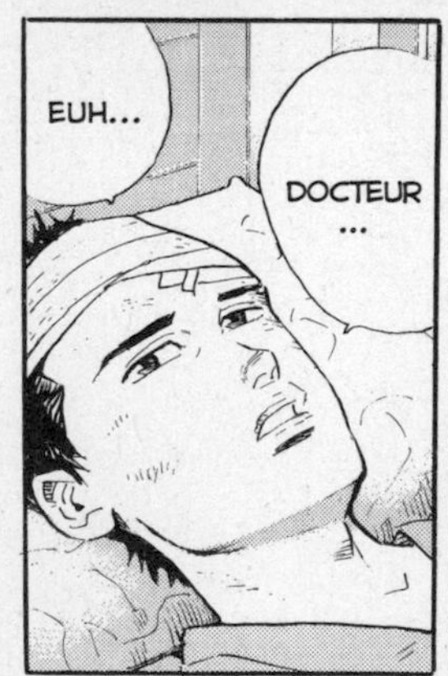
EUH...
DOCTEUR ...

TOUT LE MONDE ...
VOUS ÊTES SÛRS QUE VOUS NE ME PRENEZ PAS POUR UN AUTRE ?
HEIN ?

JE NE M'APPELLE PAS TAKUYA ...
DOCTEUR... JE SUIS DÉSOLÉ, MAIS... POURRIEZ-VOUS APPELER MA FEMME ET MA FILLE ?

TAKUYA ...

MON DIEU...

AH AH ...
SI TU N'ES PAS TAKUYA ONODERA, ALORS...

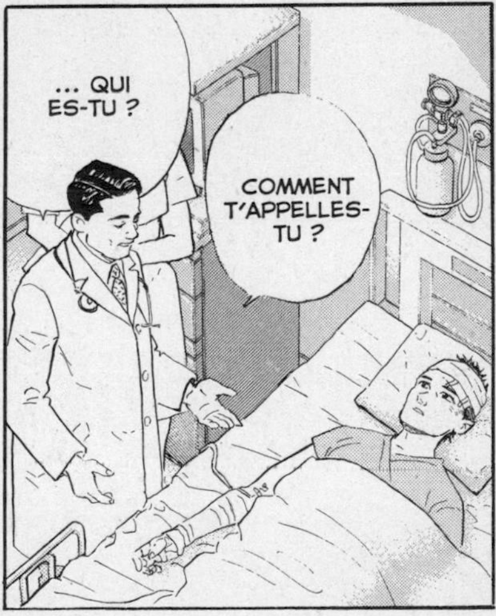
... QUI ES-TU ?
COMMENT T'APPELLES-TU ?

KUBOTA ...
KAZUHIRO KUBOTA.

DOC-TEUR !
QU'EST-CE QUE ÇA VEUT DIRE ?
QU'EST-CE QUI SE PASSE ?
SANS DOUTE ...
... UNE CONFUSION POST-TRAU-MATIQUE.

LES SÉQUELLES DE L'ACCIDENT SERONT PEUT-ÊTRE PLUS IMPORTANTES QUE PRÉVU...
IL Y A PEUT-ÊTRE AUSSI LE SENTIMENT DE CULPABILITÉ D'AVOIR EU CET ACCIDENT...
MAIS ...
COMMENT SE FAIT-IL QU'IL CONNAISSE LE NOM DE LA PERSONNE QUI LUI EST RENTRÉE DEDANS ? IL NE POUVAIT PAS LE CONNAÎTRE !

MA FOI ...
JE ME DEMANDE ...
... S'IL N'AURAIT PAS INCONSCIEMMENT ENTENDU ET MÉMORISÉ LES DÉTAILS DE L'ACCIDENT QUI ONT ÉTÉ PRONONCÉS DEVANT LUI PENDANT QU'IL ÉTAIT DANS LE COMA...

JE REMARQUE AUSSI QU'IL COMPREND QUAND VOUS DITES QUE VOUS ÊTES INQUIETS...

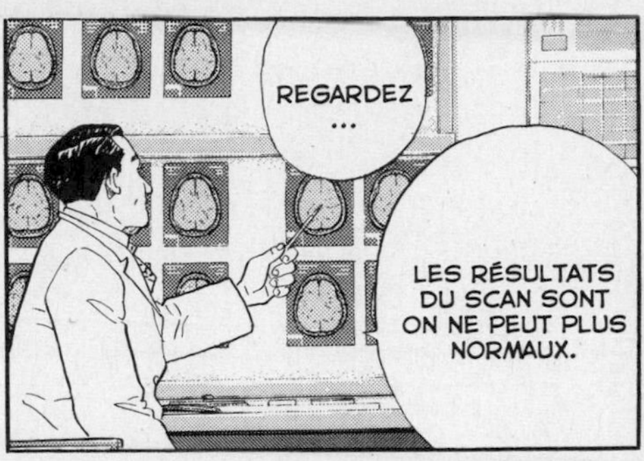
REGARDEZ ...
LES RÉSULTATS DU SCAN SONT ON NE PEUT PLUS NORMAUX.

ENCÉPHALOGRAMME NORMAL, PRESSION INTRACRÂNIENNE NORMALE, VENTRICULES TOUT À FAIT NORMAUX...
AUTREMENT DIT, IL N'Y A AUCUNE LÉSION D'ORDRE SOMATIQUE.

JE PENCHE PLUTÔT POUR UNE AMNÉSIE PAR TRANSFERT DE MÉMOIRE...
UN ÉTAT TRANSITOIRE ET TEMPORAIRE, VRAISEMBLABLEMENT...
...
IL N'Y A AUCUNE RAISON DE NOUS INQUIÉTER OUTRE MESURE POUR LE MOMENT.

LA MÉMOIRE LUI REVIENDRA PETIT À PETIT, JE PENSE...

NOUS ALLONS COMMENCER LA RÉÉDUCATION...
TOUT DOUCEMENT... PAS À PAS...

1er août - Nuageux.

Pourquoi me prennent-ils tous pour ce Takuya ?

D'ailleurs, moi non plus, je ne reconnais pas mes mains...

Depuis combien de temps suis-je dans cet hôpital ?

Michiko et Tomomi... comment vont-elles ?

À l'usine, ils ne savent pas que je suis dans cet hôpital ?

OUMF ...
BONJOUR !
ÇA ALORS ! VOUS ARRIVEZ À VOUS LEVER TOUT SEUL ?

IL NE FAUT PAS VOUS BRUSQUER. ON VA SE LEVER DOUCE-MENT...
EH BIEN, TOUT À L'HEURE, SI VOUS VOULEZ...
JE VOUDRAIS TÉLÉ-PHONER ...

J'AI LA TÊTE QUI TOURNE ...
TENEZ-VOUS À MES ÉPAULES ...
AVEC UN PETIT PEU DE MARCHE TOUS LES JOURS, ÇA REVIENDRA VITE...

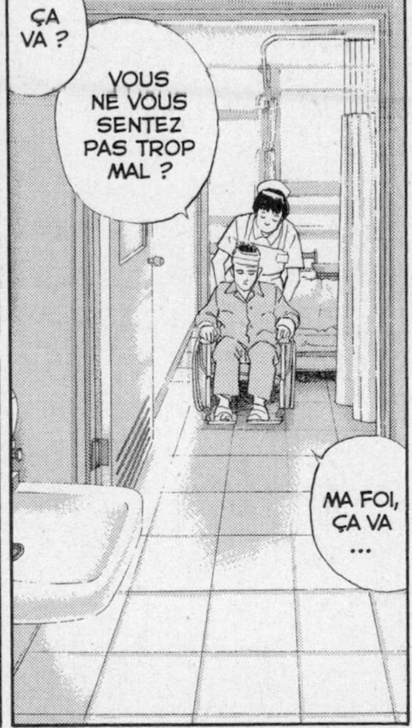
ÇA VA ?
VOUS NE VOUS SENTEZ PAS TROP MAL ?
MA FOI, ÇA VA ...

C'EST DUR AU DÉBUT, MAIS VOUS VERREZ, AVEC LA RÉÉDU-CATION, ON FAIT VITE DES PRO-GRÈS ...

AH !

* Service de rééducation

CE N'EST PAS MOI, ÇA !

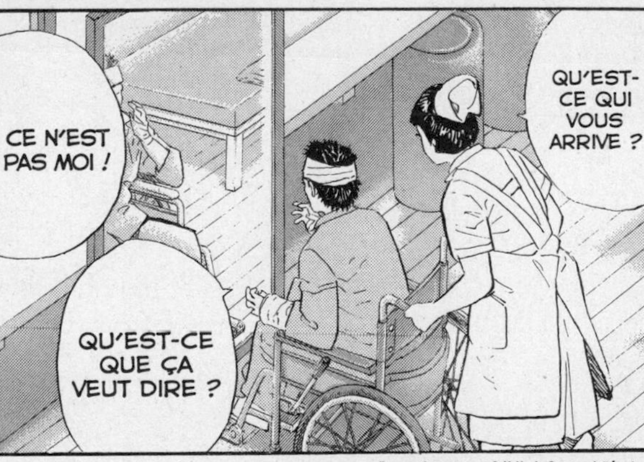

CE N'EST PAS MOI !
QU'EST-CE QUE ÇA VEUT DIRE ?
QU'EST-CE QUI VOUS ARRIVE ?

Remerciements au C.H.U. de Surugadaï (n.d.a.)

NON ...

C'EST PAS VRAI !?
NON !

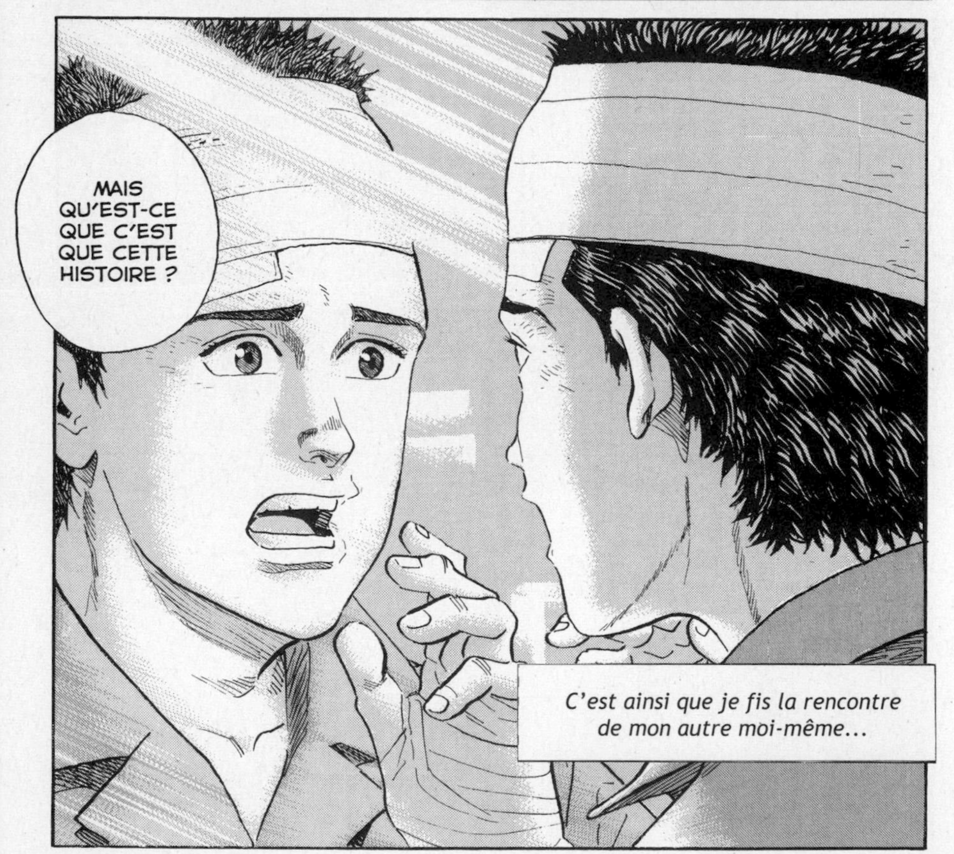
MAIS QU'EST-CE QUE C'EST QUE CETTE HISTOIRE ?
C'est ainsi que je fis la rencontre de mon autre moi-même...

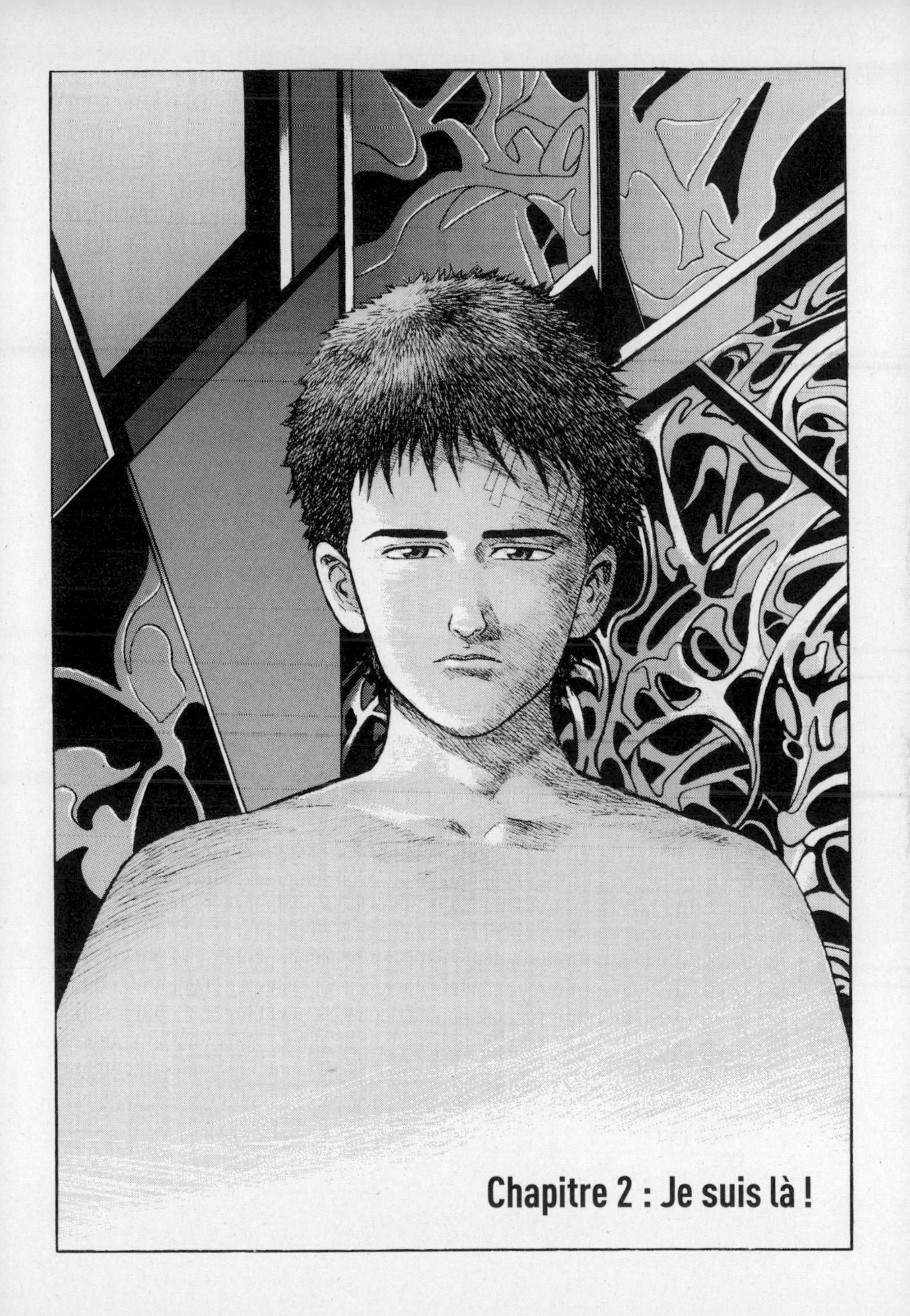
Chapitre 2 : Je suis là !

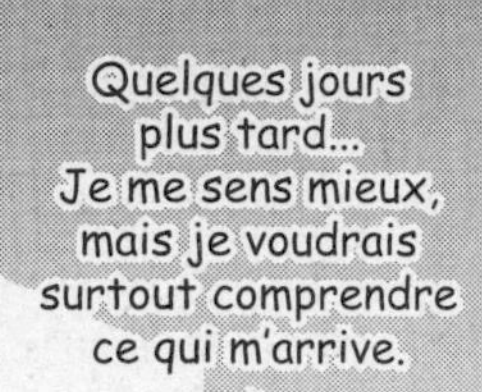
Quelques jours
plus tard...
Je me sens mieux,
mais je voudrais
surtout comprendre
ce qui m'arrive.

Mais comment faire ?
À qui demander ?
Comment accepter cette situation ?

MADAME ONODERA... J'AURAIS DÛ VOUS LE DIRE AVANT ...

C'EST À PROPOS DE MONSIEUR KAZUHIRO KUBOTA...
MAIS NOUS ÉTIONS TOUS PRIS PAR LES SOINS À DONNER À TAKUYA...
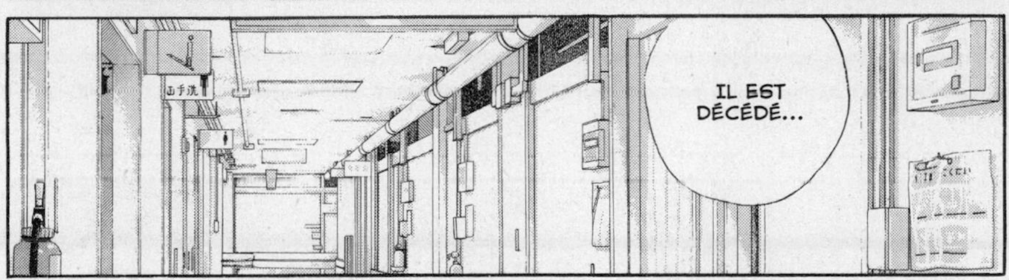
IL EST DÉCÉDÉ...

Kazuhiro Kubota est...

Quoi ?

Mort ?!

GNiii
Hé ! Minute !

UMPF ...
POC
Moi ?

IL PARAÎTRAIT ...
... QU'IL EST DÉCÉDÉ AU MOMENT MÊME OÙ TAKUYA REPRENAIT CONSCIENCE ...

PLIC

VRAI-MENT ?
JE NE SAIS QUE DIRE...

OUI...
MOI-MÊME, J'AI EU DU MAL À Y CROIRE QUAND ON ME L'A RACONTÉ...

DOCTEUR ...
AH !
TAKUYA !

QUE T'ARRIVE-T-IL ?
C'EST VRAI ?

KAZUHIRO KUBOTA EST MORT ?

OUI, EN EFFET...
IL Y A DE ÇA DIX JOURS MAINTENANT...
MAIS ...

JE ...

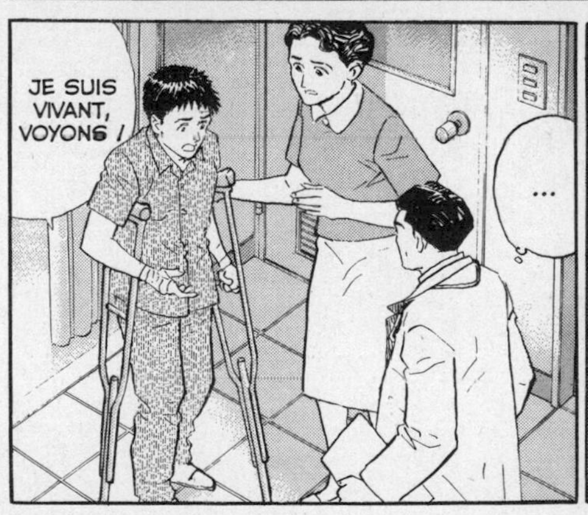
JE SUIS VIVANT, VOYONS !
...

TAKUYA...

Le docteur m'expliqua ce qui était arrivé à Kazuhiro Kubota...
UN PEU PLUS DE DIX JOURS APRÈS L'ACCIDENT ...
... À L'INSTANT MÊME OÙ TU SORTAIS TOI-MÊME DU COMA...
C'EST COMME ÇA...

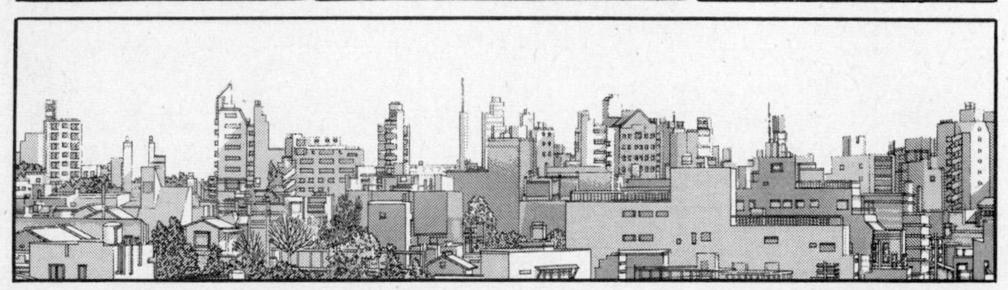

TU SAIS, TAKUYA ...
...
... JE COMPRENDS QUE TU TE SENTES RESPONSABLE, C'EST BIEN NATUREL...
... MAIS TU N'ES PAS KAZUHIRO KUBOTA.
TU ES TAKUYA ONODERA.
TU ES JEUNE. TU AS DIX-SEPT ANS...
TU AS LA VIE DEVANT TOI !

Kazuhiro Kubota est mort...
J'avais vraiment l'impression de vivre tout ça en rêve.

À VRAI DIRE...
... C'EST TOI QUI AS ÉTÉ LE PLUS GRAVEMENT BLESSÉ DANS L'ACCIDENT.

MAIS TA JEUNESSE... TA CONDITION PHYSIQUE ...
... TA SANTÉ ...

... ET PLUS QUE TOUT...
... TON EXTRAORDINAIRE VOLONTÉ DE VIVRE ONT FAIT QUE TU AS RÉCUPÉRÉ BEAUCOUP PLUS VITE, TU VOIS...

À ma grande surprise, il s'est déjà écoulé plus d'un mois depuis l'accident...

Mais je dois me rendre à l'évidence : ma conscience se trouve à présent dans la tête d'un lycéen de dix-sept ans...
Comment tout cela est-il possible ?
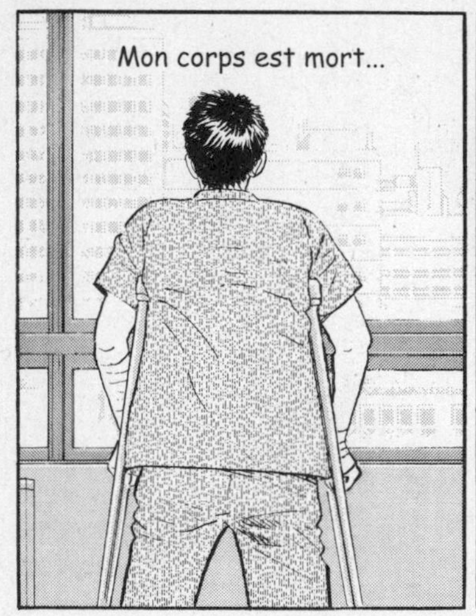
Mon corps est mort...

UUH ...

... et ma conscience vit dans le corps d'un autre...

FFFT
Pourquoi ne
suis-je pas mort ?
BAM
PLANC
Parce que j'ai
refusé de mourir ?

BONG
Y a-t-il quelque chose en moi qui
m'empêche d'accepter la mort ?
Mais alors... Je...

MFFF
...
NFF
...

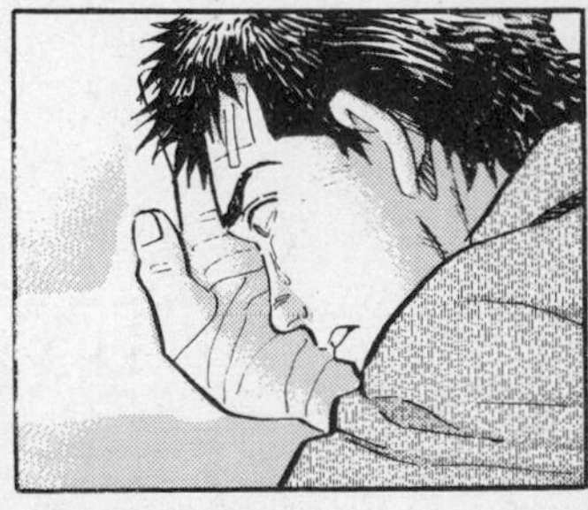

Mais alors, je suis comme un spectre !?

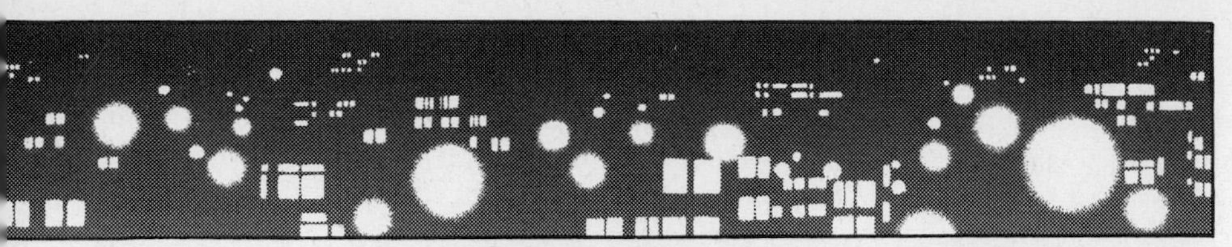

TU DEVRAIS TE COUCHER...
IL EST PLUS DE TROIS HEURES DU MATIN...
OUI, OUI... J'AI PRESQUE FINI...
JE DOIS ABSOLUMENT TERMINER CE PAPIER AVANT DEMAIN...

MAIS C'EST DIMANCHE DEMAIN... TU VAS ENCORE À L'USINE ?
OUI... DÉSOLÉ...
ON MANQUE DE PERSONNEL EN CE MOMENT, IL FAUT QUE JE DONNE UN COUP DE MAIN À LA PRODUCTION.

À LA DERNIÈRE RÉUNION, J'AI EU TOUT LE MONDE SUR LE DOS À CAUSE DU RETARD ACCUMULÉ...
...
POC

ET ON M'A FAIT COMPRENDRE QUE J'ÉTAIS SUR LA LISTE DES PROCHAINES RESTRUCTU-RATIONS...
PIQUIPIC
PIQUIPIC

IL FAUT ABSOLUMENT QUE J'ARRIVE À BOUCLER MES CHIFFRES POUR L'EXERCICE EN COURS...
MAIS...
... TU VAS FINIR PAR TOMBER MALADE SI TU CONTINUES...

J'AI PENSÉ CHERCHER UN AUTRE BOULOT, TU SAIS...
SLUP

MAIS... QU'EST-CE QUE JE SAIS FAIRE D'AUTRE ?
ET QUAND JE PENSE AU PAUVRE TYPE QUI PRENDRA MA PLACE ET SE RETROUVERA DANS LA MÊME SITUATION...

CHÉRI...

... PENSE UN PEU À TOMOMI...
ÇA FAIT BIEN SIX MOIS QUE TU N'AS PAS PASSÉ UN SEUL MOMENT AVEC TA FILLE, LA PAUVRE PETITE...

JE SAIS...
Piquipic
Piquipic

JE SAIS BIEN...
Piquipic
Piquipic
J'AI BIENTÔT FINI...

Brutalement, c'est le désespoir.

Michiko... Tomomi...

Je suis là !

Je suis ici...

UUH ...

ZZZIT
Qu'est-ce que je fabrique ici ? Il doit y avoir une erreur...

J'ai l'impression d'être le dernier survivant de la planète...
Je suis ici... Je suis vivant !

trrrr
trrrr
clic
ALLÔ, OUI ?
AH...
EUH ...
CE... C'EST...
PARDON ? ...
QUI EST À L'APPAREIL ?
... C'EST MOI !
... MICHIKO !
... QUI EST À L'APPAREIL ?
QUOI ?
AH...
EH BIEN... MON MARI EST MORT, MONSIEUR... IL Y A QUELQUES SEMAINES...
AH... EUH... VOTRE MARI EST LÀ ?

LES FUNÉRAILLES ONT DÉJÀ EU LIEU...
VOUS ÊTES UN COLLÈGUE DE L'USINE ?
ALLÔ ?
VOUS CONNAISSIEZ MON MARI ?

ALLÔ ?
clic

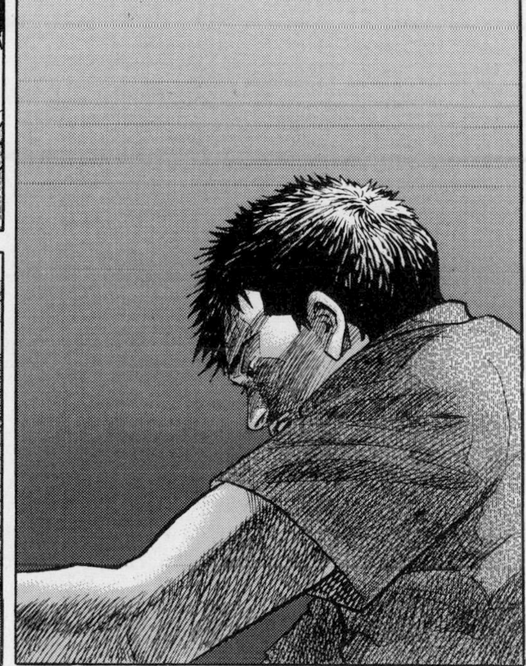

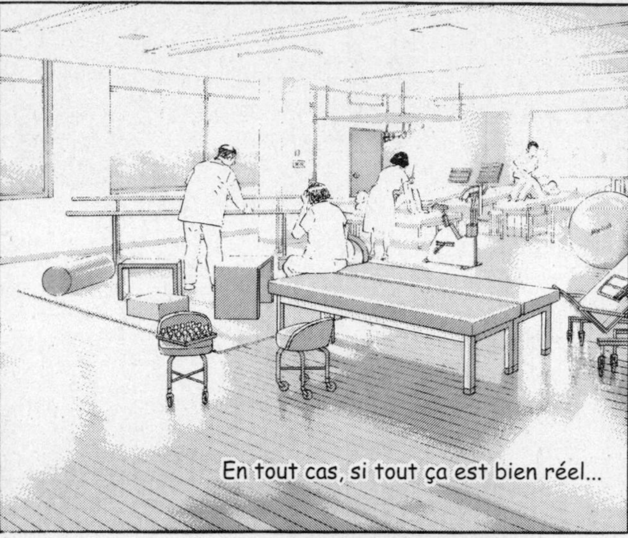
En tout cas, si tout ça est bien réel...

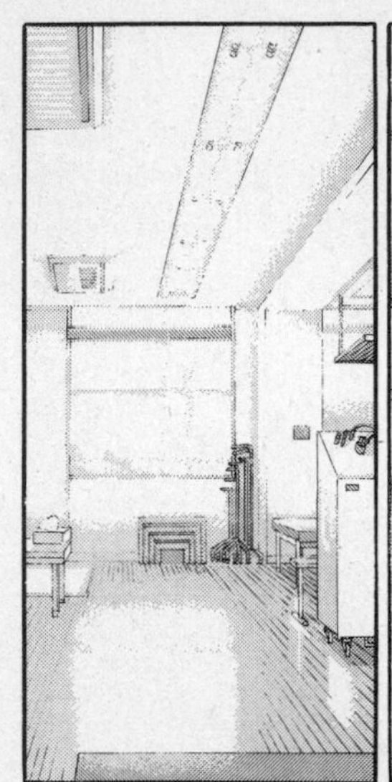

... et si je suis revenu à la vie...

HAH ...
HAH ...

... alors il faut que je revoie ma femme et ma fille...

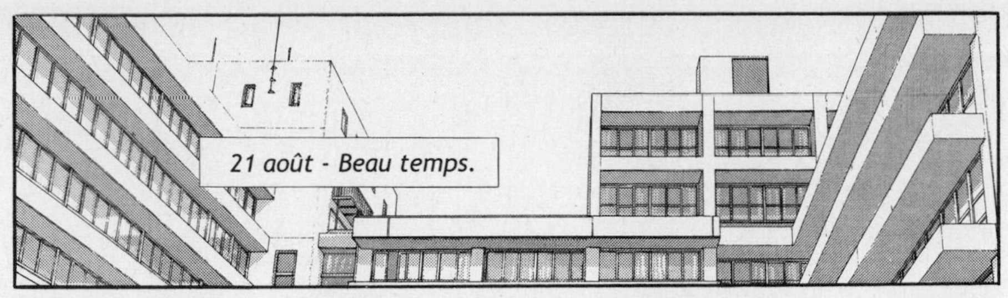
21 août - Beau temps.

HAH ...
HAH ...
Au bout de deux semaines de rééducation, je sens mon corps retrouver ses forces...

PFFF ...
PFFF ...

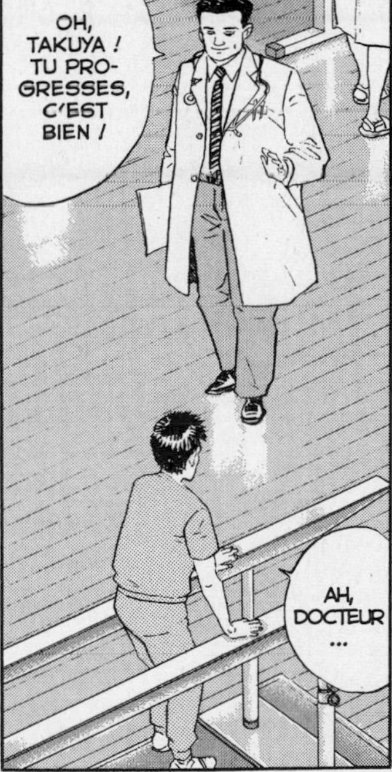
OH, TAKUYA ! TU PROGRESSES, C'EST BIEN !
AH, DOCTEUR ...

QUAND ON EST JEUNE, TOUT REVIENT VITE, N'EST-CE PAS ?

OUI ...

À CE RYTHME, TU POURRAS SORTIR DANS UNE DIZAINE DE JOURS.
QUOI ?
C'EST VRAI ?
OUI.
APRÈS L'ACCIDENT QUE TU AS EU, JE N'EN REVIENS PAS DE LA RAPIDITÉ AVEC LAQUELLE TU TE RÉTABLIS !
C'EST FORMIDABLE !

IL NE RESTE PLUS QUE CE PETIT PROBLÈME DE MÉMOIRE...
COMMENT ÇA SE PASSE ? DES SOUVENIRS TE SONT-ILS REVENUS ?
...

EH BIEN ...
NON... PAS ENCORE ...

BAH... RIEN NE PRESSE !
POUR L'INSTANT, C'EST PAS LA PEINE DE FORCER...
...

VAS-Y DOUCEMENT...
UN DE CES JOURS, LA MÉMOIRE TE REVIENDRA D'UN SEUL COUP, SI ÇA SE TROUVE...
OUI.

BON-
JOUR !
...

ÇA A
L'AIR
D'ALLER,
TAKUYA !

EUH,
TU...
NON, C'EST
PAS VRAI !
TU TE
SOUVIENS
PAS DE MOI ?
KAORI
...

KAORI
OKITA
...
ON EST
DANS LA
MÊME
CLASSE
AU LYCÉE,
T'AS
OUBLIÉ ?

BON,
JE VOUS
LAISSE
...
COURAGE
POUR LA
RÉÉDU-
CATION,
OK ?
OUI
...
MERCI
...

ALORS, TU NE TE RAPPELLES PLUS RIEN ...
TA MÈRE ME L'AVAIT DIT MAIS ÇA FAIT DRÔLE QUAND MÊME...

ELLE M'A DIT QUE TU NE TE SOUVENAIS PLUS DE RIEN ET QU'IL VALAIT PEUT-ÊTRE MIEUX QUE JE NE TE VOIE PAS...
HMM ...

MAIS JE SUIS HEU-REUSE DE TE VOIR, TU SAIS !

JE SUIS VRAIMENT CONTENTE QUE TU T'EN SOIS SORTI !
HMM... L'AUTRE JOUR, PLUSIEURS JEUNES SONT VENUS ME RENDRE VISITE, MAIS À VRAI DIRE...
... JE N'AI PAS DU TOUT COMPRIS QUI ILS ÉTAIENT...

ON M'AVAIT DIT QUE TU AVAIS EU UN ACCIDENT ET QUE TU ALLAIS PEUT-ÊTRE MOURIR, ALORS...
C'EST VRAI QUE T'ES UN PEU BIZARRE, MAIS C'EST QUAND MÊME TOI !
...

OUI, JE SAIS ...
TAKEDA ET LES AUTRES... ILS M'ONT RACONTÉ.

ILS ONT DIT QUE T'ÉTAIS PLUS VRAIMENT LE MÊME !

ILS ÉTAIENT ÉTONNÉS QUE L'AMNÉSIE, ÇA EXISTE EN VRAI !
...

MOI AUSSI, JE SUIS CON-TENT !
QUELLE CHANCE J'AI D'AVOIR UNE COPINE AUSSI MIGNONNE...
HEIN ?

MAIS QU'EST-CE QUE TU RACONTES ?

J'Y CROIS PAS ! C'EST TROP BIZARRE ...
AH ?
AH, PAR-DON !

OUAIS, BEN LÀ, C'ÉTAIT TROP !
ON DIRAIT UN VIEUX !
HA HA HA !
AH OUI, C'EST VRAI, T'AS RAISON ...

JE DOIS TE SEMBLER BIZARRE ...

TU SAIS ...
ON SE CONNAÎT DEPUIS QU'ON EST TOUT PETITS...
COMME ON ÉTAIT VOISINS, ON ÉTAIT DANS LA MÊME CLASSE DEPUIS L'ÉCOLE PRIMAIRE...

ON JOUAIT TOUT LE TEMPS ENSEMBLE QUAND ON ÉTAIT GOSSES.

MOI, J'ÉTAIS AMOU-REUSE DE TOI...
DEPUIS LE DÉBUT, QUOI...
...

MAIS TOI, ÇA NE TE DIT RIEN, C'EST ÇA ?
RIEN DE RIEN ?

ALORS DISONS QUE JE SUIS UN PEU TRISTE.
UN JOUR, TU M'AS QUAND MÊME DIT QUE TU M'AIMAIS... ALORS JE SUIS UN PEU DÉÇUE, ÉVIDEMMENT...

DÉSOLÉ ...

DIS ...
TU NE TE RAPPELLES VRAIMENT PLUS RIEN DU TOUT ?
HMM ...

HMM ...
ET C'EST MÊME PAS SÛR QUE TU GUÉRISSES UN JOUR, C'EST ÇA ?

MAIS ALORS ...
QU'EST-CE QU'ON VA DEVENIR, NOUS DEUX ?

Oui...
Qu'est-ce qu'on va devenir ?

Qu'est-ce qu'il faut que je fasse ?

FINALEMENT, TU SAIS...

JE NE SUIS PARTIE NULLE PART CET ÉTÉ ...

EN PRINCIPE, ON DEVAIT ALLER À LA MER EN-SEMBLE...
MAIS AVEC TOUT ÇA, J'AI RIEN DÉ-PENSÉ DE MES ÉCONOMIES... J'AI ENCORE PLEIN DE SOUS !

ALORS, QUAND TA JAMBE SERA GUÉRIE, ÇA TE DIRAIT QU'ON AILLE À LA MER ?
TU AIMES LA MER, TU TE RAP-PELLES ?

JE VAIS T'AIDER À LA RETROUVER, TA MÉMOIRE, TU VERRAS !

Chapitre 3 : Une famille inconnue
3

2 septembre.
Je suis sorti de l'hôpital cet après-midi.
Il fait encore une chaleur humide de plein été.

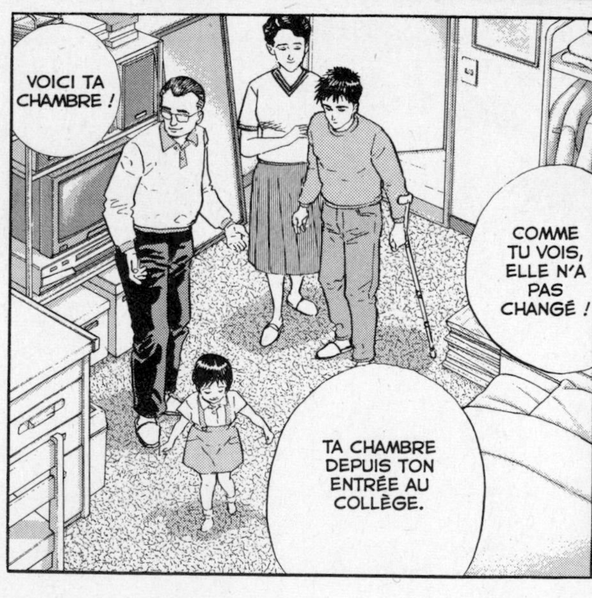
VOICI TA CHAMBRE !
COMME TU VOIS, ELLE N'A PAS CHANGÉ !
TA CHAMBRE DEPUIS TON ENTRÉE AU COLLÈGE.

ALORS ?
ÇA TE RAPPELLE QUELQUE CHOSE ?
...
É... CO... LE.

PAPA...
IL VIENT DE RENTRER, LAISSE-LUI LE TEMPS DE RESPIRER !
EUH... OUI, TU AS RAISON ...

Comment pourrais-je me souvenir de cette chambre, puisque je suis un autre !

C'EST VRAI, IL N'Y A PAS LE FEU !
...
LA MÉMOIRE TE REVIENDRA PETIT À PETIT.
L'ESSENTIEL, C'EST QUE TE VOILÀ REVENU CHEZ TOI SAIN ET SAUF !

PAPA !
NOUS DEVRIONS PEUT-ÊTRE LAISSER TAKUYA UN PEU SEUL, TU NE CROIS PAS ?
HUM... EUH... OUI, SANS DOUTE !

CE SOIR, NOUS FÊTONS TON RETOUR !
FAISONS ÇA DANS LES FORMES !
OUAIS !
UN BAR-BECUE ! UN BAR-BECUE !

ALLEZ ! NOUS, ON DESCEND !
RISA, TOI TU VAS M'AIDER À PRÉPARER LE BARBECUE ...
YOUPI !

IL FAISAIT DU MOTO-CROSS ?
DU MOTO-CROSS ?

Dans cette maison étrangère, je me sens vaguement coupable.

MA FOI ...

CE TAKUYA ONODERA AVAIT BIEN DE LA CHANCE... UNE FAMILLE AISÉE...

LA LIBERTÉ ...

DES PARENTS PAS TROP RÉPRESSIFS, J'AI L'IMPRESSION...

DES PARENTS AIMANTS... DES GENS BIEN, QUOI.

EN REVANCHE, MOI...
... QU'EST-CE QUE J'AI FAIT ?

J'AI TELLEMENT HONTE...

QU'EST-CE QUE J'AI FAIT POUR MA FEMME ET MA FILLE, MOI ?
J'AI BOSSÉ. J'AI BOSSÉ TOUT LE TEMPS ET PENDANT CE TEMPS-LÀ JE LES DÉLAISSAIS ...

UN VRAI PÈRE INDIGNE, OUI !

TOUJOURS CREVÉ À CAUSE DU BOULOT...
TOUJOURS AUX ABOIS ...

VOILÀ... J'AI PRIS LA FUITE ...
ET POUR FINIR...

AVEC CET ACCIDENT ...
... AU LIEU DE SOUTENIR MA FAMILLE...
... JE SUIS MORT !

PSHHH PSHHH

FH'EST FHAUD !
VAS-Y, PRENDS-EN PLUS !
SERS-TOI BIEN !
ÇA FAISAIT LONGTEMPS, PAS VRAI ?
BON APPÉTIT !

FHAUD !
AH AH AH !
ON TE L'AVAIT BIEN DIT !
TU VOIS ?
ATTENTION, C'EST COMME ÇA QU'ON SE BRÛLE.

MANGE AUSSI LES LÉGUMES, HEIN, RISA ?
SI TU MANGES QUE LA VIANDE, TU VAS GROS-SIR !
PAS GRAVE !

HAFF
HAFF
MMM, FH'EST BON !

PAS GRAVE !
AH AH AH
AH BON ?
JE M'EN FICHE DE GROSSIR !
EH BIEN, ALORS VAS-Y ! GAVE-TOI ET DEVIENS ÉNORME !

TU NE MANGES PAS ?
QU'EST-CE QUI T'ARRIVE, TAKUYA ?
...
HAFF
HAFF

TAKUYA ?
Je n'ai pas le droit d'en profiter comme ça tout seul...
TU NE TE SENS PAS BIEN ?

Ce n'est pas bien...

SI SI
...
ÇA VA
...

EN FAIT...
... JE RESSENS COMME, EUH... UNE SORTE DE NOSTALGIE, VOYEZ-VOUS...
AH BON ? MAIS, EUH...

TAKUYA
...
TU NE POURRAIS PAS ARRÊTER DE NOUS PARLER COMME À DES ÉTRANGERS ?
JE TE SENS TENDU
...

T'ÉTAIS PAS COMME ÇA, AVANT...
AH... OUI...

IL N'A PAS ENCORE RETROUVÉ LA MÉMOIRE, C'EST NORMAL !
MAIS NE LE FORCE PAS !
JE VOUS PROMETS DE FAIRE MON POSSIBLE
...
gnac gnac...

DU MOINS, JE VAIS ESSAYER ! PUISQUE JE SUIS TAKUYA ONODERA, N'EST-CE PAS !

À PROPOS, ET L'ÉCOLE ?
L'ÉCOLE ...

L'école...

C'est vrai... Je suis un lycéen...

IL N'EST PAS COMPLÈTEMENT GUÉRI...
MOI, JE CROIS QU'IL DEVRAIT SE REPOSER ENCORE UN PEU...

SUIVRE LES COURS SANS RIEN COMPRENDRE, ÇA SERAIT PÉNIBLE, JE PENSE...
LE PAUVRE ...

Le lycée...
GNAC GNAC

HMM, BON...
DONC PAS BESOIN D'ALLER AU LYCÉE POUR LE MOMENT ...
C'est sûr... Retourner au lycée à mon âge, je n'y comprendrais rien du tout !

OUI, C'EST MIEUX... J'APPELLERAI LE LYCÉE POUR LES INFORMER...

ET PUIS T'AURAS QU'À TE FAIRE PRÊTER LES CAHIERS DE TES CAMARADES, APRÈS.
PAS VRAI ?
BAH... POUR TOI, UN MOIS DE RETARD, CE NE SERA PAS GRAND-CHOSE À RATTRAPER !
EUH... OUI...
NON ?

EH... UNE AUTRE BOUTEILLE !? TU ES SÛR ?
NE T'IN-QUIÈTE PAS...
BAH, UNE SEULE...

ET PUIS C'EST FÊTE AUJOUR-D'HUI !

MAIS...
... TU TRAVAILLES DEMAIN, NON ?
NOTRE FILS EST SORTI DE L'HÔPITAL, ÇA SE FÊTE, QUOI !

AH
AH
AH
AH
AH

RISA !
AIDE-MOI À DÉBARRASSER !
VOUI...

PFFF

TU SAIS, JE SUIS VRAIMENT CONTENT ...
glouc
...

PAPA ! L'ALCOOL, ÇA SUFFIT POUR AUJOURD'HUI !
TU NE CROIS PAS ?

D'ACCORD !
JUSTE LE DERNIER, ALORS !

glouc
UN REPAS EN FAMILLE, COMME ÇA, TOUS ENSEMBLE...
... CELA FAISAIT COMBIEN DE TEMPS ?

D'HABITUDE...
TU N'ÉTAIS JAMAIS LÀ...
...

ÇA ME FAIT MÊME UN PEU PEUR QUE TU RETROUVES LA MÉMOIRE, À VRAI DIRE...

...

TU M'APPORTES AUSSI LES ASSIETTES LÀ-BAS ?
VOUI !
MAIS FAIS ATTENTION, HEIN ?

TU SAIS...
FAUT PAS QUE TU OUBLIES UNE CHOSE...

TU ES NOTRE FILS...
TU ES LE FRÈRE DE RISA... TOUT LE MONDE T'AIME, ICI !

MAMAN A VEILLÉ SUR TOI À L'HÔPITAL PENDANT TOUT LE TEMPS QUE TU ES RESTÉ DANS LE COMA...
glouc

...

POUR T'ENCOURAGER À GUÉRIR ...
ELLE TE PARLAIT ...

ELLE TE MASSAIT, TOUT LE TEMPS. ELLE ME DISAIT ...
"IL FAUT QUE SON CORPS SOIT EN BONNE CONDITION QUAND IL SE RÉVEILLERA..."

QUAND JE L'AI VUE SE DONNER TOUT CE MAL...
... JE ME SUIS DIT : VOILÀ, C'EST ÇA, UNE MÈRE !

ET CE JOUR-LÀ J'AI PENSÉ ...
... QUE J'AVAIS VRAIMENT ÉPOUSÉ UNE FEMME MERVEILLEUSE.

WMX
MOTOCROSS WORLD

Voilà une famille heureuse... Et en même temps, j'ai l'impression qu'elle cache comme un secret...
WMX

Pendant ce temps... ma vraie famille à moi, qu'est-ce qu'elle devient ?

Guiii
MOTO
Michiko... Tomomi...
Leur mari... Leur père... Mort...

Étiez-vous heureuses ?

Vous me manquez...

TRRR

ICI, C'EST LE SUD DE L'ARRONDIS-SEMENT DE SETAGAYA...
CHEZ MOI, C'EST À CÔTÉ DE LA LIGNE DE CHEMIN DE FER CHÛÔ... CE N'EST PAS TELLEMENT LOIN...

DEMAIN, J'IRAI !
JE VEUX Y ALLER !

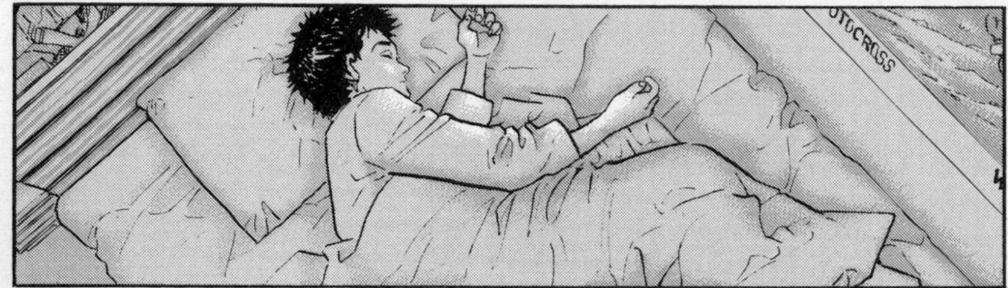

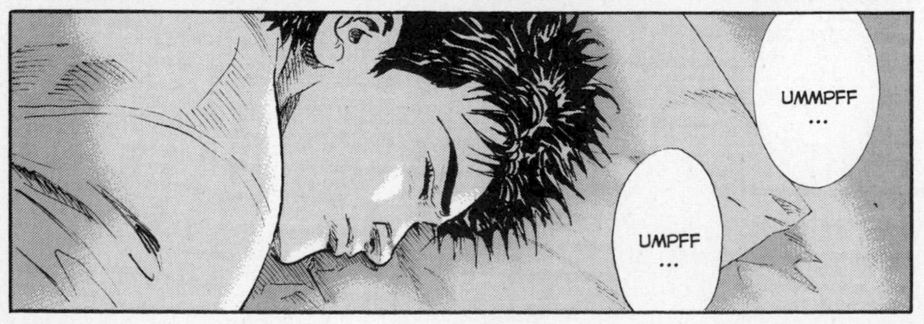
UMMPFF
...
UMPFF
...

RÔÔÔ
RÔOR
RÔÔÔ
RÔÔR

RÔAAA A
UMPFF ...
UUMPFF ...

RÔAAA

OUAAH
FLAP

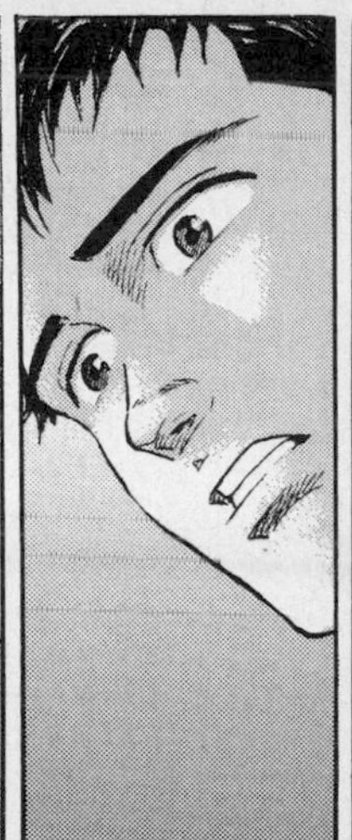

HAH
HAH

HAA

HAA
HAA

Mais...

Ce rêve...

Ce rêve...

C'est un rêve de Takuya...

Oui... À partir de ce jour-là, ma mémoire à moi, Takuya Onodera, commença à me revenir...

Chapitre 4 : La Visite

Le lendemain, 3 septembre - Beau temps. La journée s'annonce aussi chaude que la veille...

BONJOUR !
BONJOUR !
COMMENT TE SENS-TU ?

TU AS PU DORMIR ?
EH BIEN, EN FAIT...
PAS VRAIMENT...

CE N'EST PAS ÉTONNANT...
TU N'AS PAS ENCORE RETROUVÉ TES REPÈRES, C'EST NORMAL...

OUI...

TU DOIS AVOIR FAIM !
JE TE PRÉPARE QUELQUE CHOSE !

OÙ SONT LES AU-TRES ?
ILS SONT SORTIS.
RISA EST À L'ÉCOLE MATER-NELLE...

ET PAPA EST PARTI À SON BUREAU... MALGRÉ UN BON MAL DE TÊTE !

AH...
C'EST DÉJÀ MIDI PASSÉ ?

JE LUI AI CONSEILLÉ DE PRENDRE UN JOUR DE CONGÉ AUJOURD'HUI ...

QU'EST-CE QU'IL FAIT COMME TRAVAIL ?

PAR-DON ?

PSCHHH
AH, EUH... IL EST CHEF DE PROJET POUR LE GROUPE DE BTP DAÏNICHI !
IL PART SOUVENT EN DÉPLACEMENT À L'ÉTRANGER, IL EST TRÈS OCCUPÉ...

EH OUI... C'EST LA CRISE POUR TOUT LE MONDE...
MAIS CE N'EST PAS BON DE TRAVAILLER TROP... ON RISQUE SA VIE !

ÇA ME FAIT PLAISIR ...
... QUE TOI AUSSI TU DISES QU'IL TRAVAILLE TROP.
MH...
OUI ...

GNiAM
GNiAM

MMH...
C'EST TRÈS BON !

QU'EST-CE QU'IL Y A ?

...

MA FOI...
JE SUIS CONTENTE !

ÊTRE SEULE, COMME ÇA, AVEC TOI, ET QUE TU ME DISES QUE CE QUE JE T'AI PRÉPARÉ EST BON...
COMMENT DIRE, C'EST...

...
ÇA N'ARRIVAIT PAS SI SOUVENT ...

C'EST ÉTRANGE ...

Incroyable...

Qu'est-ce qu'il pouvait reprocher à sa mère, Takuya ? Elle est pourtant si gentille...

JE NE DEVRAIS PAS DIRE ÇA...
MAIS PARFOIS JE ME DIS QU'IL VAUDRAIT MIEUX QUE TU NE RETROUVES JAMAIS LA MÉMOIRE...

...
POURQUOI ? IL Y A UNE RAISON ?
PAPA M'A DIT LA MÊME CHOSE, HIER...

NON NON... RIEN...
JE TE DEMANDE PARDON ...

J'ESPÈRE QUE TU RETROUVERAS VITE LA MÉMOIRE, C'EST MIEUX POUR TOI !

C'ÉTAIT TRÈS BON !
BON, JE VAIS ME BALADER...
CE N'EST PAS BON DE RESTER ENFERMÉ ...

ET ÇA AIDE À LA RÉÉDUCATION …

BIEN SÛR ! JE VAIS MÊME VENIR AVEC TOI !

HEIN ? MAIS NON, CE N'EST PAS LA PEINE !
JE NE SUIS PLUS UN ENFANT !
MAIS… TU VAS RETROUVER TON CHEMIN ?

JE …
PAS DE PROBLÈME, JE RESTERAI DANS LE QUARTIER.
ET PUIS, SEUL, J'AI L'IMPRESSION QUE DES CHOSES POURRAIENT ME REVENIR…

OUI MAIS… S'IL T'ARRIVAIT ENCORE QUELQUE CHOSE …
JE CROIS QUE JE NE M'EN REMETTRAIS PAS…

JE SAIS … JE SERAI PRUDENT …
JE NE FERAI PLUS RIEN QUI VOUS CAUSE DU SOUCI…

MAIS QUAND MÊME…
IL Y A QUELQUE CHOSE QUE JE VOUDRAIS VÉRIFIER…

Quand je suis revenu dans ma chambre...
CLIC

BRRR

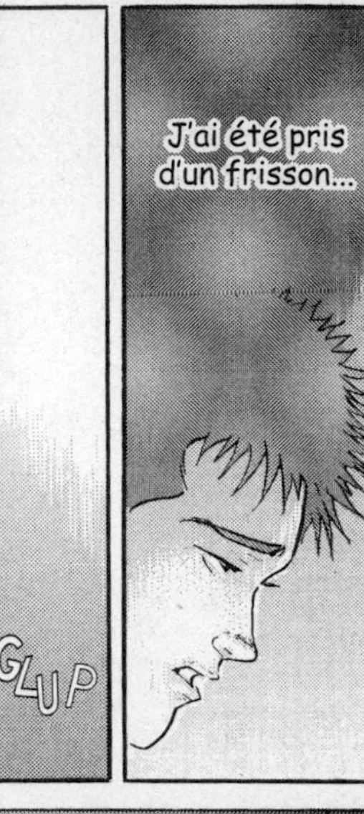
GLUP
J'ai été pris d'un frisson...

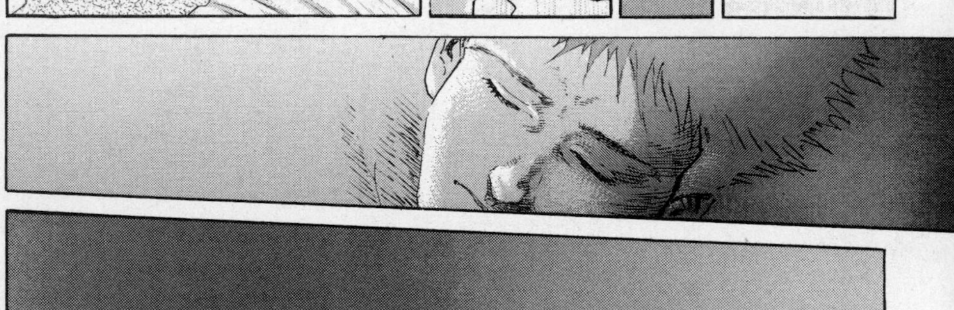

... un vertige...

PFFF
...
JE DOIS ÊTRE ENCORE FATI-GUÉ...
QU'EST-CE QUI M'ARRIVE ?
PAC
PLAC

TRENTE MILLE.

TRENTE-CINQ MILLE...
HUIT CENT...
...SOIXANTE YENS.

MAIS...

MAIS COMMENT SE FAIT-IL...
... QUE J'AIE TOUT DE SUITE SU OÙ TAKUYA CACHAIT SON ARGENT DE POCHE ?

Ding Dong
OUI ?
C'EST OKITA !

ON M'A DIT QUE TAKUYA ÉTAIT SORTI DE L'HÔPITAL...

AH, KAORI ?
ENTRE !

ET LE LYCÉE ?
HÉ HÉ HÉ... JE SUIS RENTRÉE UN PEU PLUS TÔT !

NORMAL ! JE PENSAIS À TOI, JE N'ÉCOUTAIS RIEN DU COURS DE TOUTE FAÇON !
ALORS ...

AH, C'EST MA FAUTE... PARDON...

MAIS ARRÊTE ÇA, JE TE DIS !
MAIS NON, C'EST VRAI, JE SUIS DÉSOLÉ, À CAUSE DE MOI, TU...
DEVANT MOI, C'EST BIEN TAKUYA QUI EST LÀ...
ET POURTANT, J'AI L'IMPRESSION QUE TU N'ES PLUS LE MÊME !

VRAIMENT, J'Y CROIS PAS !
...

HA HA HA !
AH BON... C'EST BIEN POSSIBLE, OUI... EN EFFET !
...

TAKUYA ! DEPUIS QUE TU AS PERDU LA MÉMOIRE, ON DIRAIT UN VIEUX QUI PARLE !
AH...
QUOI ?

ÇA DOIT ÊTRE TRISTE DE NE PLUS ÊTRE SOI-MÊME...
C'EST TROP ATROCE...

C'EST TRISTE !

TU GAGNAIS DE PLUS EN PLUS DE COURSES...
OUI ...
EN COMPÉTITION...
TU ÉTAIS SUPER...
M. FUJISAWA, TON COACH, IL DISAIT QUE TU GAGNERAIS SÛREMENT LA PROCHAINE AUSSI !
AH... LE MOTO-CROSS ?

RAPPELLE-TOI, QUOI ...
DIS, TAKUYA, FAIS UN EFFORT ...

...
MÊME RIEN QU'UN PETIT TRUC... SINON, C'EST TROP TRISTE, NOUS DEUX...

Que pouvais-je lui répondre ?

Que la mémoire de Takuya revienne...

... et c'est moi qui dois disparaître...

AH, COMME ÇA, JE SUIS RASSURÉE ...

BON, ON Y VA ?
ÇA FAISAIT LONGTEMPS QU'ON N'ÉTAIT PLUS SORTIS ENSEMBLE, HEIN, TAKUYA ?

SI KAORI T'AC-COMPAGNE, C'EST BIEN !
OUI !
BIEN SÛR ! JE LE SURVEIL-LERAI !

FAIS BIEN ATTEN-TION, HEIN ?
ET LES VOITURES ...
EUH ...

PRENDS ÇA ! TU N'EN AURAS PEUT-ÊTRE PAS BESOIN, MAIS ON NE SAIT JAMAIS...

TU VEUX ALLER OÙ ?

ON VA AU CIRCUIT ?
C'EST PAS LOIN !
HUM ...

TAKUYA ! JE T'EN PRIE ! UN PEU DE NERF, QUOI !
HMM ?

C'EST PAS TA FAUTE, ÉVIDEMMENT...

TU N'AS PLUS DE MÉMOIRE, T'Y PEUX RIEN, C'EST SÛR...
RIEN NE SERT DE BOUSCULER LES CHOSES...
JE SUIS DÉSOLÉ ...

EUH ...
IL Y A UN ENDROIT OÙ JE VOUDRAIS ALLER...

AH OUI ?
OÙ ÇA ?

UN ENDROIT QUI A UN RAPPORT AVEC MES SOUVENIRS...

CHEZ QUI ?
CHEZ KAZUHIRO KUBOTA...
L'AUTRE ...

CELUI AVEC QUI J'AI EU L'ACCI-DENT ...
QUOI ?

POURQUOI CHEZ LUI ?
POUR QUOI FAIRE ?
JE VOUDRAIS RENCON-TRER SA FAMILLE...

MAIS ON M'A DIT QUE TOUT ÉTAIT RÉGLÉ, POUR L'ACCIDENT ...
D'AILLEURS, C'ÉTAIT PAS SEULEMENT DE TA FAUTE !

À MOINS ...
TU NE VAS PAS CHERCHER LA BAGARRE, TOUT DE MÊME ?
MAIS NON VOYONS !

QU'EST-CE QUE TU RACONTES ? IL N'Y A QUE SA FEMME ET SA FILLE, MAINTENANT !

MAIS …
C'EST JUSTE QUE… COMMENT DIRE…
…

OUI, JE CROIS QUE JE COMPRENDS …
MAIS TU SAIS, IL VAUT PEUT-ÊTRE MIEUX PAS …

IMAGINE : TOI, TU AS ÉTÉ SAUVÉ …
MAIS L'AUTRE, LUI, IL Y EST RESTÉ…
…

C'EST PAS ÉVIDENT POUR SA FAMILLE …
JE NE CROIS PAS QUE ÇA LEUR FASSE PLAISIR DE TE VOIR…

JE SAIS…

MAIS IL FAUT QUAND MÊME QUE J'Y AILLE !

JE VEUX LES VOIR !

IL FAUT QUE JE LES VOIE !
PÔÔAAAAH
…

IL FAUT QUE JE LEUR EXPLIQUE QUELQUE CHOSE...

ET IL FAUT QUE JE FASSE VITE, PARCE QUE JE N'AI PLUS BEAUCOUP DE TEMPS, J'AI L'IMPRESSION ...
GOGAN
GOGON

J'Y VAIS SEUL...

GOGAN
GOGON
MINUTE !
EUH... PAS QUESTION ! JE NE TE LAISSERAI PAS Y ALLER TOUT SEUL ! ON NE SAIT JAMAIS CE QUE TU VAS FAIRE...

ALORS ...
... JE VIENS AVEC TOI, COMPRIS ?!

C'EST OÙ ?

TU SAIS OÙ TU VAS ?
OUI OUI ...
JE SAIS OÙ...

PÔÔAAAAH
AH LÀ LÀ !
J'AI L'IMPRESSION DE M'OCCUPER D'UN GOSSE...

JE SUIS DÉSOLÉ ...
ENCORE ?
ARRÊTE DE T'EXCUSER À TOUT BOUT DE CHAMP, QUOI !
ON DIRAIT UN VIEUX ! SI TU CROIS QUE C'EST AGRÉ-ABLE...
EUH... DÉSOLÉ ...

PFF
ET VOILÀ ...
Mais qu'est-ce que je peux y faire...
Je n'ai pas dix-sept ans, j'en ai quarante-deux...
Je ne suis pas Takuya, je suis Kazuhiro Kubota !

OUI, C'EST LÀ...
C'EST ICI ?

KAN
KAKAN
KAN

Aah...
Ça fait si longtemps...

Michiko...
Tomomi...

DIS-MOI, TAKUYA...
TU CONNAIS LE CHEMIN ?

MAIS... TAKUYA !
POURQUOI ES-TU SI PRESSÉ ?
TU ES SÛR QUE C'EST PAR LÀ ?
MAIS ARRÊTE !
MARCHE MOINS VITE, BON SANG !
C'EST PAS LA PEINE DE VÉRIFIER SUR UN PLAN ?

TAKU-YAAA !
ÇA VA, TA JAMBE ?

Plus je me dis de me calmer, plus je me sens excité...
Plus j'approche de ma maison, plus mon cœur bat...

QUE... QU'EST-CE QUE TU FAIS ?
TU ES PERDU ?

C'EST LÀ !

Chapitre 5 : Un lien invisible

久保田*
* Kubota

TAKUYA ...

TU ES SÛR QUE C'EST ICI ?

ET MAINTENANT, QU'EST-CE QU'ON FAIT ?
TU ES VENU POUR LES VOIR, NON ? TU CROIS QU'IL Y A QUELQU'UN ?

OUI...
UN PEU QUE JE SUIS SÛR !

Mais qu'est-ce qui est le mieux ?
Comment vais-je pouvoir leur expliquer ?

Comment leur faire admettre que je suis leur mari et leur père ?

OUAH
OUAH
OUAH

OUAH
OUAH
OUAH
OUAH

OUAH
OUAH
MARU !!!

MARU !
VIENS !
OUAH
OUAH
OUAH
HAFF
HAFF
OUI !
BON CHIEN !
HAFF HAFF
TU VAS BIEN, MARU ?
MARU !
NON !
HAA...
HAA...
...
DÉSOLÉE, MONSIEUR ...
IL VOUS A PAS MORDU ?
HAFF
HAFF
AH...
EUH...
ÇA VA PAS ÇA, MARU !
PARTIR COMME ÇA COMME UN FOU, TU M'AS FAIT PEUR !
PAF

MAIS
MARU
...
ÇA SE
FAIT PAS DE
LÉCHER LES
GENS QU'ON
CONNAÎT PAS !

SLUP
SLUP

T'ES
DRÔLE
...

TOMOMI
...

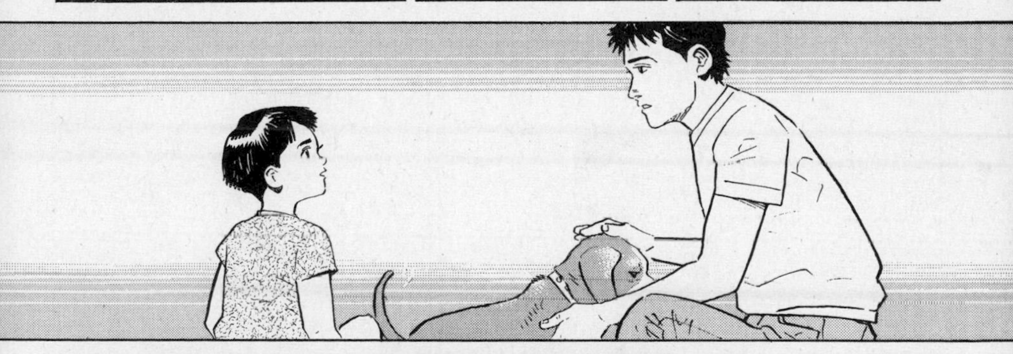

MAIS
...
POURQUOI
VOUS SAVEZ
MON NOM ?

AH...
EUH, JE
CONNAISSAIS
BIEN TON
PAPA...

MAIS... ÉVIDEMMENT...
...
... JE COMPRENDS QUE ÇA T'ÉTONNE...

AH OUI ! OUI...
TOI, TU COMPRENDS, HEIN MARU !

MAIS POURQUOI ?
POURQUOI MARU, IL VOUS FAIT FÊTE, COMME ÇA ?
PARCE QU'IL EST CONTENT, BIEN SÛR !

...
MARU, IL COMPREND TOUT !
IL SAIT QUI JE SUIS, LUI...

ET TOI, TOMOMI... TU NE VOIS PAS ?

TAKUYA !
DEPUIS TOUT À L'HEURE, TU DIS DE CES TRUCS, TU SAIS...
HMM ?

AH...
PARDON, PARDON ...

EUH ...
TA MAMAN EST LÀ ?

OUI.

J'AIMERAIS LA VOIR...
TA MAMAN ...
AH ...

Niiii

OUI...
MAMAN !

TOMO ?
TU AS FINI DE PROMENER MARU ?
OUI !

AH... UN AMI À TOI, TOMOMI ?
NON ...
C'EST PAS ÇA.

TU SAIS QUE CE N'EST PAS BIEN DE PARLER AVEC LES GENS QUE TU NE CONNAIS PAS !
OUI ...

MAIS ...
LE MONSIEUR, IL DIT QU'IL VEUT TE VOIR...

ET IL CONNAÎT BIEN MARU !
...

VOUS ÊTES MONSIEUR...

MICHIKO ...
...

MAIS MONSIEUR ...
COMMENT SE FAIT-IL ?
AH...
EUH...

JE... JE...
...

ALORS, TAKUYA, TU AS QUELQUE CHOSE À LUI DIRE, NON ?

OUI...
JE...

Comment le dire ?
Comment l'expliquer ?

OUI ?
QUE VOULEZ-VOUS ?

TAKUYA !

COURAGE !
VAS-Y, DIS-LUI !
OUI ...

EUH ...
JE...

JE SUIS TAKUYA ONODERA ...
VOUS SAVEZ...
...

ONO-DERA ?

OH, MON DIEU !
VOUS...

OUI !
CET ACCI-DENT ...
JE VOUDRAIS VOUS PARLER DE CE QUI S'EST PASSÉ...
DE QUOI ?

DE QUEL DROIT VENEZ-VOUS ICI, D'ABORD ?
RENTREZ CHEZ VOUS !
CLANG
ATTENDS !

EN RÉALITÉ ...
JE...

JE...
JE SAIS QUELQUE CHOSE SUR VOTRE MARI...

IL EST ENCORE VIVANT !
TAKUYA !
!

IL VEUT QUE VOUS SACHIEZ QU'IL EST ENCORE VIVANT !!!
TOUTES LES DEUX, IL FAUT QUE VOUS SACHIEZ...

VOUS VOUS RENDEZ COMPTE DE CE QUE VOUS DITES ?
TAKUYA !

Michiko...

PARTEZ !

NE REVENEZ PLUS JAMAIS ICI !
OU J'APPELLE LA POLICE !

TAKUYA !

Niii

QUE SE PASSE-T-IL ?
AH... CE N'EST RIEN...
... !

Ômura !?

C'EST QUI CES JEUNES ?

QU'EST-CE QUE VOUS VOULEZ ?
CE N'EST RIEN...
ILS VONT PARTIR...
...

Qu'est-ce que...
Qu'est-ce que tu fous chez moi, toi ?

ÔMU-RA !
QU'EST-CE QUE TU FOUS ICI ?
CLANG
HAN ?

QUI C'EST CE TYPE ?
...

TU M'EN-TENDS ? JE TE DEMANDE CE QUE TU FOUS ICI ?
RÉ-PONDS !
MAIS QU'EST-CE QU'IL RACONTE, CE P'TIT CON ?
NON, ARRÊ-TEZ !

TAKUYA !

TAKUYA, ARRÊTE !!!
DE QUOI !?
EXPLIQUE-TOI, ÔMURA !

OUAH
MARU !
OUAH
TAKUYA !!!
P'TIT CON !!!
M. ÔMURA, JE VOUS EN PRIE ...
MARU !
OUAH
OUAH
ARRÊTEZ !!!
OUAH

OU J'APPELLE LA POLICE !
FOUTEZ LE CAMP !
OUAH
OUAH
OUAH

ALLEZ, VIENS !
TAKUYA !!!

OUAH
OUAH
OUAH

JAMAIS VU ÇA ...
OUAH
QU'EST-CE QUE C'ÉTAIT QUE CE TYPE ?

OUAH
OUAH

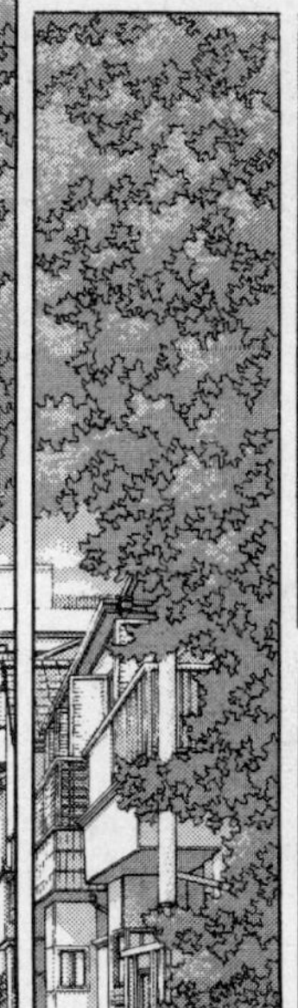

MAIS QU'EST-CE QUI T'A PRIS, TAKUYA ?

TU M'AVAIS POURTANT DIT QUE TU CHERCHERAIS PAS LA BAGARRE !
TU ÉTAIS VRAIMENT BIZARRE, TU SAIS !

TU TE RAPPELLES TOUT CE QUE TU AS DIT ?
QU'EST-CE QUE J'AI DIT ?
ET PUIS ...

QUE SON MARI ÉTAIT VIVANT, TOUT ÇA...

TU TE RENDS COMPTE ? CELUI AVEC QUI TU AS EU UN ACCIDENT ...
...

FSHHH

HEIN ?

OUI ...
MAIS C'EST LA VÉRITÉ ...

IL EST VIVANT !
JE TE JURE !
QU'EST-CE QUE TU RACONTES ?
S'IL EST VIVANT, ALORS IL EST OÙ ?

EN RÉALITÉ ...
JE...

BAH...
TU NE VAS PAS ME CROIRE...

AH

JE NE SUIS PAS TAKUYA...

FFFSH
NON MAIS, DIS !
C'EST QUOI CES HISTOIRES ?

TOI AUSSI TU AS BIEN REMARQUÉ QUE JE N'ÉTAIS PLUS LE MÊME...
MAIS ...

TU DOIS ME PRENDRE POUR UN FOU, ÇA M'ÉTONNE PAS...
TU VOIS ...
TU VAS ARRÊTER DE DIRE DES CONNERIES, À LA FIN ?

JE COMPRENDS RIEN DU TOUT, OUI !
JE CROYAIS QUE TOI, TU COMPRENDRAIS ...
POURTANT...

...

TU ES QUAND MÊME BIEN TAKUYA !
AMNÉSIQUE OU PAS, ÇA N'EMPÊCHE PAS...
OUI ...
EN FAIT ...
JE SUIS L'AUTRE, CELUI QUI EST MORT ...
...
PHYSIQUEMENT, OUI... MAIS TU AS BIEN DIT QUE JE PARLAIS COMME UN VIEUX, NON ?
FFFSHH
JE SUIS KAZUHIRO KUBOTA...

N'IMPORTE QUOI...

C'EST COMME ÇA DEPUIS QUE JE SUIS SORTI DU COMA...
LA FAMILLE QU'ON VIENT DE VOIR, J'AI DE BONNES RAISONS DE LA CONNAÎTRE.

JE SUIS LE MARI DE LA FEMME...
JE SUIS LE PÈRE DE LA PETITE FILLE, TOMOMI...

ET TU... TU VEUX QUE JE CROIE...

... CETTE HISTOIRE À DORMIR DEBOUT ?
ÉVIDEMMENT, JE TE COMPRENDS, ÇA DONNE LA NAUSÉE...
MÊME MOI, J'AI DU MAL À L'ADMETTRE ...

MAIS BON...
JE NE TE DEMANDE PAS DE ME CROIRE TOUT DE SUITE...

FFFSHHH

MAIS SI TU AIMES TAKUYA...
...

TU L'AIMES POUR DE VRAI ?

BIEN SÛR.

JE L'AIME, OUI...
JE L'AIME VRAIMENT.
BIEN ...

ALORS ...
ALORS AIE CONFIANCE EN LUI ...

MAIS ...
MAIS SI TOI, TU N'ES PAS TAKUYA...

POUR L'INSTANT NON...

MAIS ÇA NE VA PAS DURER LONGTEMPS ...

FFFSHHH
UN JOUR ...
JE PENSE ...

MOI, JE VAIS MOURIR ...

FFFS

D'AIL-
LEURS
...
DE TEMPS EN TEMPS, JE SENS DÉJÀ LA CONSCIENCE DE TAKUYA QUI COMMENCE À REVENIR...

UN JOUR, TAKUYA REVIENDRA !

...

TU COM-
PRENDS ?
C'EST POUR ÇA QUE JE VEUX PARLER À MA FAMILLE PENDANT QU'IL EN EST ENCORE TEMPS !

AAAA-
AH !
JE CROIS QUE JE VAIS DEVENIR FOLLE !

DÉSOLÉ
...

...

S'IL TE PLAÎT...
J'AI BESOIN DE TON AIDE...

BRRR

OUGH

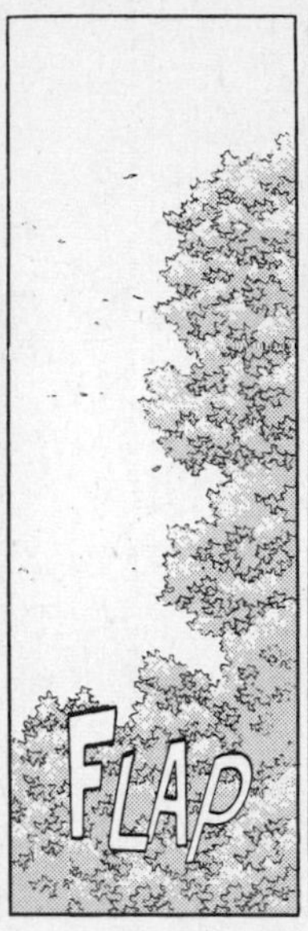
FLAP

AAAAH !
Soudain, j'ai été pris d'un frisson... Puis j'ai perdu connaissance.

TAKUYA !

Et dans ma tête, j'ai vu quelque chose qui était resté loin, très loin... Très profond dans la conscience de Takuya Onodera...

Chapitre 6 : Retour à la vie

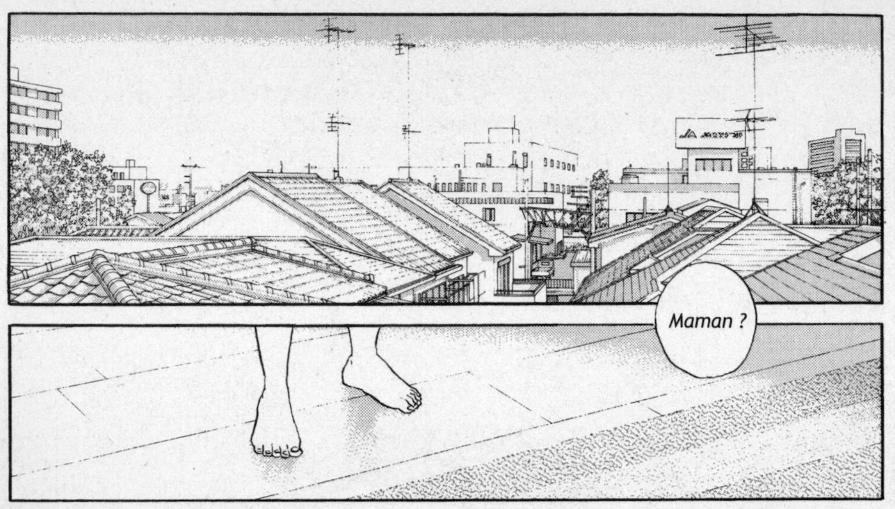
Maman ?

Maman
...

Où tu es ?

Où tu es,
maman ?

Maman !

57

TAKUYA !
TAKUYA !
FFFSH
HMM...
OUCH...

TAKUYA !
TU ES RÉVEILLÉ ?
HM... HMM.

ÇA VA ?
OUI ...

KAORI.

EH BEN, TU M'AS FAIT PEUR !
TU T'EFFONDRES COMME ÇA, SANS PRÉVENIR...
FSHHH

PFFFOU ...
OÙ SUIS-JE ?

QUOI ?
TU VAS PAS ENCORE TE METTRE À RACONTER DES TRUCS INCOMPRÉHENSIBLES, J'ESPÈRE...
...

AH OUI ...
JE ME SOUVIENS ...

PSSSH

COMBIEN DE TEMPS JE SUIS RESTÉ ÉVANOUI ?
PAS LONG-TEMPS ...
UNE MINUTE À PEINE ...

...
QU'EST-CE QUI SE PASSE ?

PENDANT UN COURT INSTANT, LA CONSCIENCE DE TAKUYA M'EST REVENUE...

ET ALORS ? TU AS VU QUELQUE CHOSE ?
IL APPELAIT SA MÈRE...
IL LA CHERCHAIT PARTOUT ...

QUAND IL ÉTAIT ÉCOLIER... ENVIRON DIX ANS...
ÇA DOIT ÊTRE À CETTE ÉPOQUE QU'IL A DÉCOUVERT LE MOTOCROSS, NON ?

IL ÉTAIT ENCORE PETIT...

ET PUIS AUTRE CHOSE ...
DES MOTOS ...

...

NON ...
ALORS ÇA VEUT DIRE QUE TU N'ES TOUJOURS PAS TAKUYA ?
AH BON ...

VAGUE-MENT...
TU T'EN SOUVIENS ?

J'ÉTAIS PETITE MOI AUSSI, À L'ÉPOQUE ...
PAS TRÈS BIEN...

...
TU CONNAIS CETTE HISTOIRE, TOI ?
CELLE DE LA MÈRE DE TAKUYA ?

MAIS CE QUE JE SAIS, C'EST QU'ELLE N'EST PAS SA VRAIE MÈRE.
...

AH BON ...
JE ME DISAIS BIEN QU'IL Y AVAIT QUELQUE CHOSE ...

FSHHH

DIS ...
ON RENTRE ?
ÇA FAIT DÉJÀ TROP POUR AUJOURD'HUI... JE SUIS CREVÉE...
AH, PARDON ...

OUAH
OUAH
OUAH

OUAH
OUAH
OUAH

MARU ?

MARU !
OUAH
OUAH

...
TOMOMI !
HAFF
HAF

HAFF
HAFF

FFFS

PAPA ?

TU ES MON PAPA, PAS VRAI ?

...
PAS VRAI ?

OUI.
TOMOMI ...
TU ME RECON-NAIS ?

FFFSH
TU ES REVENU ?
TU AS PRIS LE CORPS D'UN AUTRE ?
TOMOMI !

OUAH
OUAH
OUAH

PARDON, HEIN, TOMOMI...
FFFSHHH

TAKUYA ...

KÛÛÛ

PAPA !
TU ES QUELQU'UN D'AUTRE MAINTENANT ?

...

OUI ...
AH...
TU VAS PARTIR ?

OUI...
IL LE FAUT...

JE VAIS PARTIR...
JE SUIS TAKUYA ONODERA MAINTENANT ...
...

ALORS ...
ON POURRA PLUS SE VOIR ?

SI, JE REVIEN-DRAI !
JE RE-VIENDRAI, PROMIS ! NE PLEURE PAS !
VOUI ...

JE REVIENDRAI VITE ! POUR QUE MAMAN AUSSI COMPRENNE ...
OUI.

MOI, JE SAIS...

MAMAN ...
DES FOIS, ELLE PLEURE ...
...

CETTE NUIT ...
QUAND JE ME SUIS LEVÉE POUR FAIRE PIPI...
MAMAN, ELLE PLEURAIT DANS TON BUREAU...

MAMAN ?

TRRR

MAMAN ?

IL FAIT TOUT NOIR...
TU ALLUMES PAS ?

LAISSE ...
C'EST PAS LA PEINE...

JE PRÉFÈRE COMME ÇA ...
JE PARLAIS AVEC PAPA...
MAMAN ...

FFFT
AH BON ...
JE REVIENDRAI VOUS VOIR !
JE TE LE PROMETS ...

OUI ...
TU ES GENTILLE ...
OUI.
JE REVIENDRAI JUSQU'À CE QUE MAMAN AUSSI COMPRENNE.
ALORS ...
JE VAIS LUI DIRE !

C'EST VRAI ?!?

COURAGE, TOMOMI ...
glup

JE SUIS CONTENT !
VOUI... NE T'INQUIÈTE PAS, PAPA !
PARCE QUE J'AI MARU !

QUAND EST-CE QUE TU REVIENS ?
TRÈS BIENTÔT !
JE VIENDRAI AUSSI DEMAIN !

TAKUYA ...

TU LE DIRAS À MAMAN, D'ACCORD ?
QUE PAPA...
OUI.

QUE PAPA, MÊME S'IL PART ...
IL VOUS AIMERA TOUJOURS TOUTES LES DEUX...

IL VA BIENTÔT FAIRE NUIT, MAMAN VA S'INQUIÉTER ...
RENTRE VITE, MAINTENANT !
VOUI.

TOMOMI !
AIDE BIEN MAMAN, D'ACCORD !

VOUI ...

D'ACCORD ! MAIS TU REVIENDRAS ME VOIR, HEIN ?
PROMIS !

BON, ON Y VA !
ALLEZ MARU !
KÛÛÛ

BYE BYE !

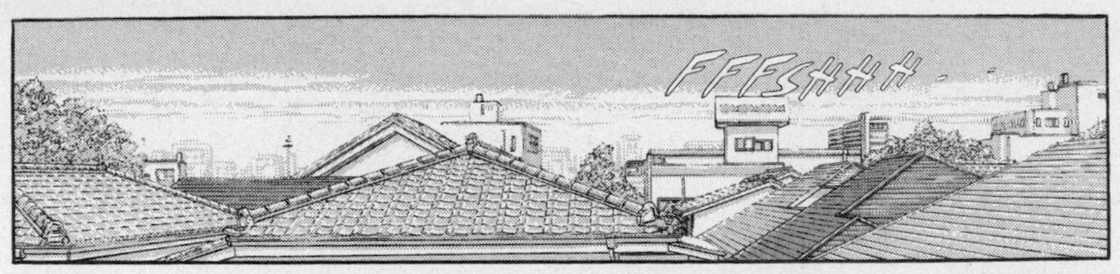
FFFSHHH

CETTE PETITE ...
TRÈS MIGNONNE ...

QUELLE HONTE... JE SUIS UN PÈRE INDIGNE...
JE NE PENSAIS QU'À MON TRAVAIL. QU'EST-CE QUE J'AI FAIT DE BIEN POUR ELLE ?
FRR
UMFF...
MAIS T'ES DEVENU UN VRAI PLEUR-NICHEUR, MA PAROLE ...
PEUH ...
UUH UH...

...
JE M'EN VEUX...

ET MAINTENANT, JE NE PEUX RIEN FAIRE...
UMFF

AH ...
MOI AUSSI, J'AI GRANDI DANS UNE FAMILLE COMME ELLE ...

LES ENFANTS SONT PLUS FORTS QUE CE QUE CROIENT LES ADULTES ...
TU T'EN FAIS TROP...

...
MAIS ALORS... TU ME CROIS ?

J'SAIS PAS ENCORE ...

ET MES AMIES AUSSI...
C'EST PLUTÔT RARE LES FAMILLES OÙ TOUT VA BIEN...

C'EST QUAND MÊME PAS LE GENRE DE CHOSE QU'ON PEUT CROIRE FACILEMENT...
J'SUIS PLUS UNE PETITE FILLE, MOI !
HMM...

MAIS BON !
DISONS QUE JE TE CROIS UN PEU. C'EST BIZARRE DE DIRE ÇA...

MAIS EN TOUT CAS ...
PUISQUE LE TAKUYA QUE J'AI DEVANT MOI EST DEVENU UN VIEUX, FAUT BIEN QUE JE FASSE AVEC...
DÉSOLÉ ...

C'EST BON ! JE SUIS AVEC TOI !
JE L'AIME, TAKUYA, ALORS JE T'AIDERAI !!!

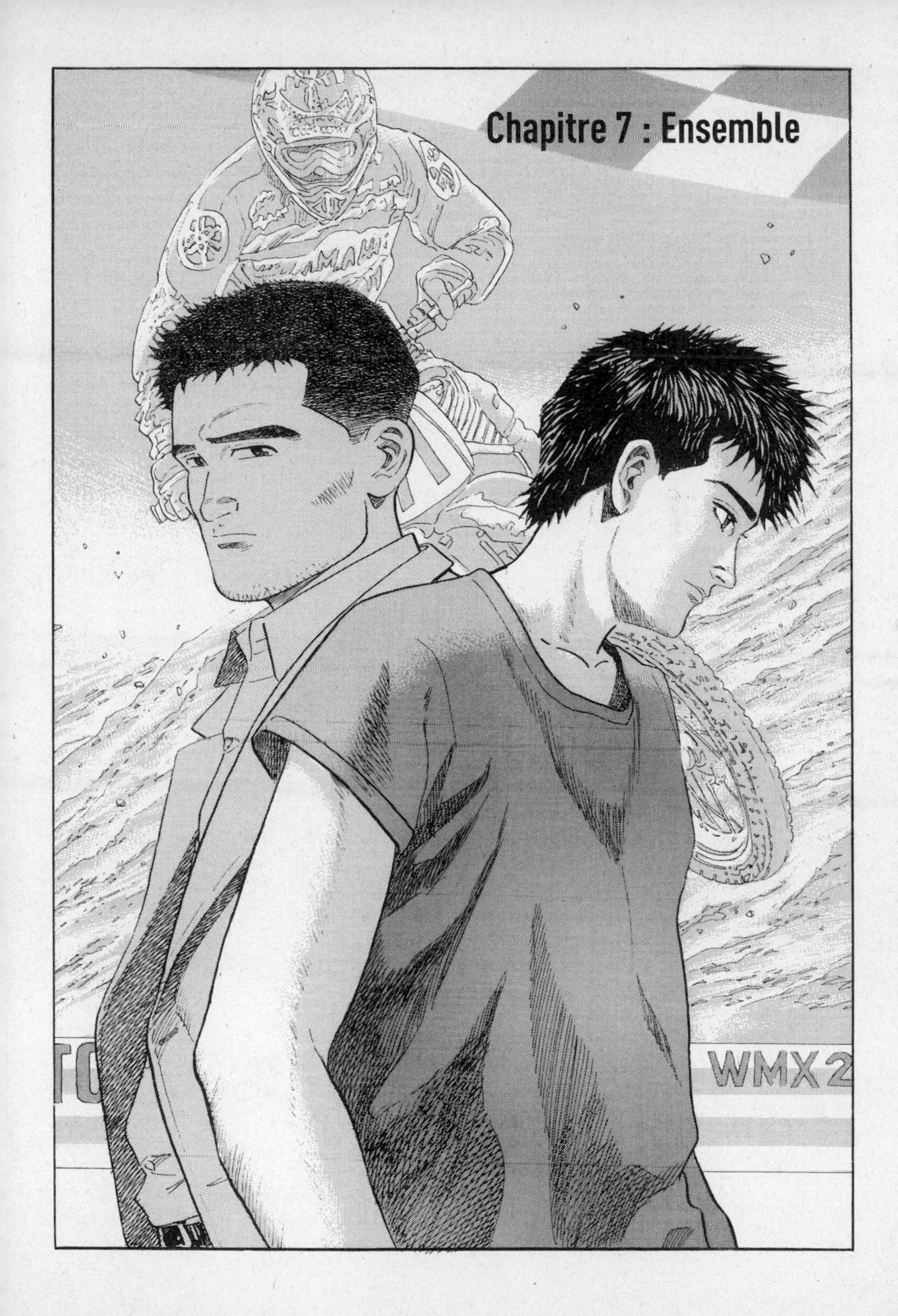
Chapitre 7 : Ensemble
WMX 2

TU ES RENTRÉ TARD !
ON ÉTAIT TOUS INQUIETS !
JE SUIS DÉSOLÉ …

C'EST VRAI, FAUT PAS EXAGÉRER …
TU VIENS JUSTE DE SORTIR DE L'HÔPITAL …
LA PROCHAINE FOIS, JE FERAI ATTENTION …

D'AILLEURS …
… OÙ ÉTAIS-TU PASSÉ ?
QUELQUE CHOSE T'ES REVENU ?
NON… J'AI SEULEMENT VOULU ALLER QUELQUE PART POUR VOIR.

BAH... OUI BIEN SÛR, JE ME METS À TA PLACE ...
... MAIS RIEN NE PRESSE. TE FORCER À TE SOUVENIR N'EST PAS LA MEILLEURE SOLUTION. VAS-Y DOUCEMENT, C'EST TOUT.

JE PENSE QUE C'EST MIEUX...

OUI.

TAKUYA ...
... TU REPRENDRAS DU RIZ ? TU DOIS AVOIR FAIM...
OUI...
AVEC PLAISIR ...

SERS-TOI BIEN...

MOI AUSSI !
OUI OUI ...

DIS DONC, DEPUIS QUAND TU T'EMPIFFRES COMME ÇA, TOI !
AH AH AH !
AH ÇA, NOTRE RISA, C'EST TOUJOURS LA PLUS EN FORME !

71
WMX
J'étais tellement fatigué
que je me suis endormi
tout de suite...

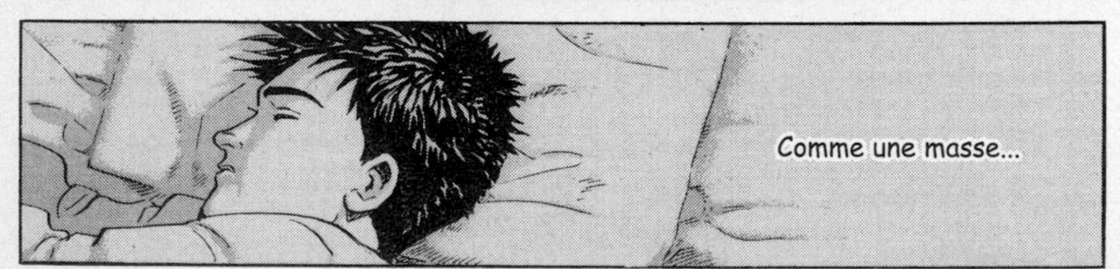
Comme une masse...

J'ai encore fait un rêve...
J'ai rêvé de Takuya...

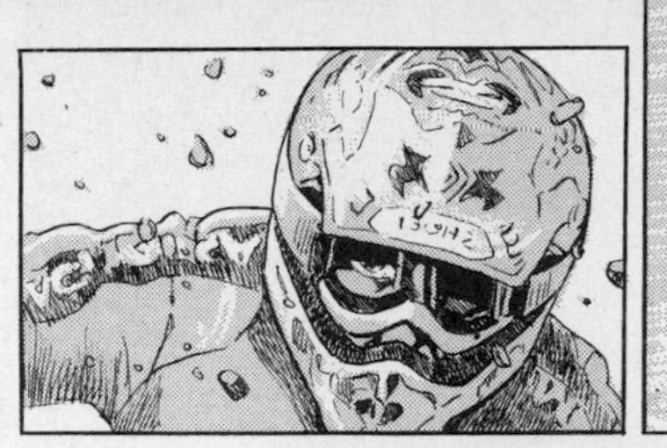

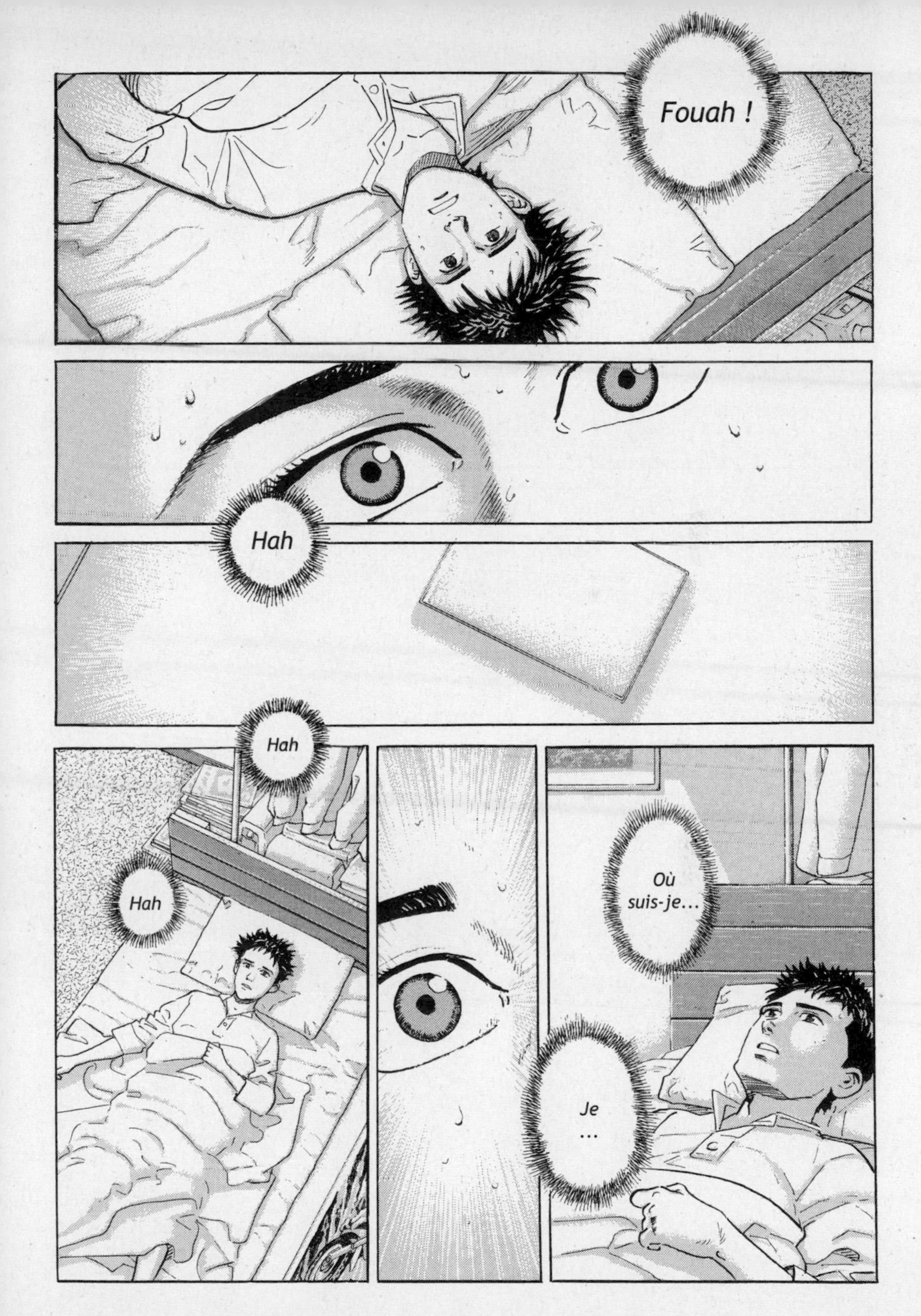
Fouah !
Hah
Hah
Hah
Où suis-je…
Je …

Hah
Mais… C'est ma chambre !
Que…
Hah
Hah

Je ne peux pas bouger !?
Qu'est-ce que ça veut dire ? Je…

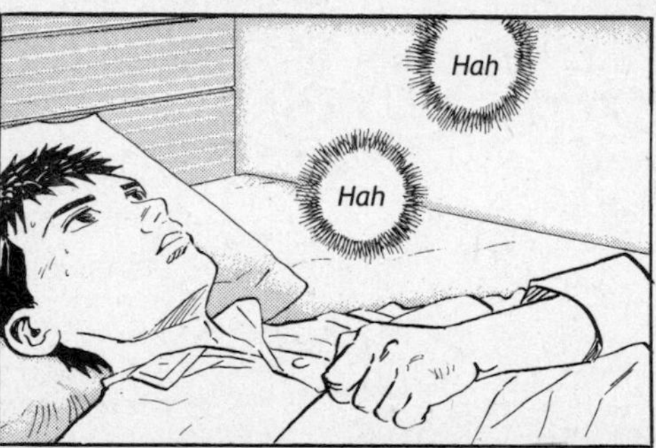
Hah
Hah

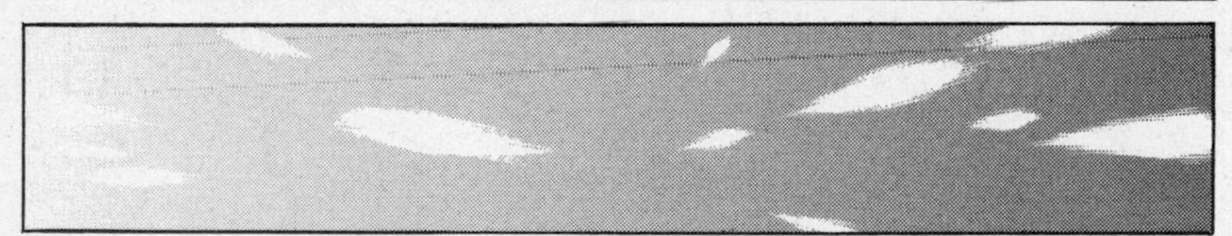

Ah oui…
L'accident …
L'autre fois…

FHH

Ah ?

GNiii
Ah, enfin
…
Je
bouge !
Ah ?
Quoi
encore ?
Pfouh
là là…

J'ai…
J'ai la
tête qui
tourne…
TAKUYA !

MAIS
QUE…
TAKUYA
…
… !?

Merde... Qui t'es toi, d'abord ?
TU ES ENFIN REVENU À TOI...
Oufff ...
Qu'est-ce que c'est que ce truc !?

Que... Quoi !?
Qui... Qui es-tu ?

T'ÉNERVE PAS... ON PEUT PARLER QUAND MÊME ?

Mais fous-moi la paix, j'te dis... Qu'est-ce que c'est que ce bordel ?
Arrête de contrôler mes mou-vements !
Ça... Ça suffit !
D'où tu me parles ?
Meeerde... J'ai le vertige !
GNIII

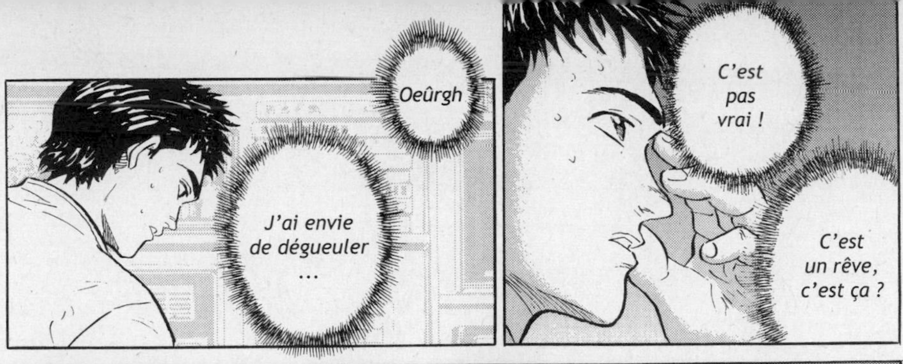
C'est pas vrai !
C'est un rêve, c'est ça ?
Oeûrgh
J'ai envie de dégueuler ...

Si c'est un rêve, il faut que je me réveille... vite !

NON, CE N'EST PAS UN RÊVE, TAKUYA...

TU TE SOUVIENS, L'ACCIDENT ?
Hein, c'est quoi ? Montre ta gueule, d'abord !
C'est quoi alors !?
TAKUYA !

FLASH

OUI, C'EST ÇA...
BON, ALLEZ, LAISSE-MOI PARLER...

JE SUIS KAZUHIRO KUBOTA. C'EST MOI QUI CONDUISAIS LA FOURGONNETTE ...
... LE JOUR DE L'ACCIDENT.

MAINTENANT ...
... JE SUIS À L'INTÉRIEUR DE TON CORPS...

4 septembre, 10 : 22.
Ce jour-là, je suis revenu à moi pour la première fois, deux mois après mon accident. Moi : Takuya Onodera...
Mais en me réveillant, à l'intérieur de ma conscience, j'ai trouvé mon autre moi-même, Kazuhiro Kubota...

MX 2001
MOTOCROSS
Tu parles d'une connerie ! J'arrivais pas à y croire ! Je pensais même pas que c'était possible, ce genre de truc...
Bon... Effectivement, mon corps bougeait, mais ce n'était pas ma volonté qui le contrôlait...
Comment expliquer ça ?

À MON AVIS...
SANS DOUTE...

C'EST À CAUSE DE L'ACCIDENT ...
TOUT S'EST PASSÉ À L'INSTANT DE LA COLLISION. À CET INSTANT PRÉCIS, JE NE SAIS PAS POURQUOI, MAIS...
... MA CONSCIENCE EST ENTRÉE DANS TON CORPS.

D'ailleurs, cet accident, c'était de ta faute !
Bon, c'est bien beau, mais maintenant dégage !
...

Dis...
Tu te
rappelles ?
Tu te
rappelles
comment tu as
déboîté sur
ma voie ?
GNiii

Et
maintenant ?
Qu'est-ce que
tu fous ici ?
Tu te crois
tout permis ?

Sors
d'ici !
Disparais !

TAKUYA ?
TU ES
RÉVEILLÉ ?
...

JE COMPRENDS CE QUE TU RESSENS ...
JE SUIS SINCÈREMENT DÉSOLÉ...
JE PARTIRAI BIENTÔT.
Qu'est-ce que tu racontes ?

Arrête tes conneries !

"JE PARTIRAI BIENTÔT " !?

EN FAIT, MOI... JE SUIS MORT DANS CET ACCIDENT !
Hein !?
Mort !?
OUI.
MOI JE SUIS MORT, ET TOI TU T'EN ES MIRACULEUSEMENT SORTI...

JE ...
JE SUIS MORT ...
... MAIS JE SUIS REVENU À LA VIE DANS TON CORPS.
Foutaises !
MOI NON PLUS, JE N'AI RIEN COMPRIS, AU DÉBUT ...
MAIS SI TOUT ÇA ARRIVE, C'EST QU'IL DOIT BIEN Y AVOIR UNE RAISON...
C'EST CE QUE J'AI FINI PAR ME DIRE.

"REVENU À LA VIE" !?
DISONS QUE C'EST PEUT-ÊTRE UNE CHANCE QUE DIEU ME DONNE ...

C'EST POUR ÇA QUE ...
Un cauche-mar !
Tout ça, c'est des conneries !
Ça suffit !
Oui, c'est ça...
Je suis en train de faire un cauchemar !

JE T'EN PRIE, ÉCOUTE-MOI !
TAKUYA !
Fous-moi la paix, ne m'adresse plus la parole !
ENCORE UN PETIT PEU, JE TE LE DEMANDE ...
Tu te fous de ma gueule ?
PRÊTE-MOI TON CORPS JUSTE UN PETIT PEU ...

TU N'AS PAS À T'INQUIÉTER !
TU LE RETROUVERAS, TON CORPS, QUAND JE PARTIRAI !
PARCE QUE TU ES VIVANT, TOI !

Alors rends-le-moi !
Maintenant !
Tout de suite !

Mais c'est pas vrai, merde...

Qu'est-ce qui m'arrive, bordel...

TAKUYA !
J'me sens mal…
TAKUYA !
Ah…
J'ai la tête qui tourne !
Aaah …
TAKUYA…
Puis je me suis à nouveau évanoui.
J'vois plus rien…
Aaah …
Ouh là…

HÉ !
TAKUYA !
À ce moment-là, ma conscience était encore sous la domination de l'autre vieux, Kazuhiro Kubota...
TAKUYA !

WMX

JE PEUX ENTRER ?
TAKUYA ?
AH...

TOC TOC

TAKUYA ...
TAKUYA VA BIENTÔT REVENIR...
IL FAUT QUE JE ME DÉPÊCHE !

OUI...
ENTREZ...
BONJOUR !
JE T'AI PRÉPARÉ UN CAFÉ...
...

AH, EUH...
MERCI...
BOIS-LE TANT QU'IL EST CHAUD !
TU AS BIEN DORMI ?

EUH... OUI OUI.
TAKUYA... TOUT À L'HEURE...
J'ÉTAIS DANS LE COULOIR ET...
... JE T'AI ENTENDU PARLER...

TU AS DIT QUE TU PARTIRAIS BIENTÔT, N'EST-CE PAS...

ON AURAIT DIT QUE ...
... QUE TU PARLAIS À QUELQU'UN ...
TU AS MÊME DIT : "JE SUIS MORT, MAIS JE SUIS REVENU À LA VIE DANS TON CORPS..."

QU'EST-CE QUI SE PASSE ?

PARCE QU'IL Y A QUELQUE CHOSE, N'EST-CE PAS ?
JE LE SAIS, MOI, QU'IL Y A QUELQUE CHOSE...

JE T'OBSERVE, TU SAIS...

JE VOIS BIEN QUE DEPUIS TON ACCIDENT, TU AS CHANGÉ...
TU PEUX ME DIRE LA VÉRITÉ, TU SAIS...
QU'EST-CE QUI SE PASSE EXACTEMENT ?

Chapitre 8 : La Promesse

Ce jour-là, l'autre moi-même, Kazuhiro Kubota, raconta à ma mère la chose étrange qui s'était passée dans mon corps.
56

VOUS ME CROYEZ ?
ÇA EXISTE DONC, CES CHOSES-LÀ...
AH BON...
EH BIEN ...
...

POUR ÊTRE FRANCHE ...
... JE NE PEUX PAS M'Y RÉSOUDRE TOUT À FAIT, C'EST TELLEMENT INCROYABLE...
MAIS EN REPENSANT À TOUT CE QUE J'AI VU, JE NE PENSE PAS NON PLUS QUE CE SOIT COMPLÈ-TEMENT INVENTÉ.
ALORS POUR L'INSTANT, DISONS QUE...
... JE VAIS ESSAYER DE TE CROIRE ...

MAIS QU'EST-CE QUE JE POURRAIS FAIRE POUR VOUS...
ENFIN JE VEUX DIRE...
...
... POUR AIDER TAKUYA ?
TAKUYA A VRAIMENT DE LA CHANCE !
IL A UNE MÈRE FORMIDABLE !
...

MAIS NON, BIEN AU CONTRAIRE ...
TAKUYA A TOUJOURS ÉTÉ MALHEUREUX, À CAUSE DE MOI...
NON, NON, CE N'EST PAS TOUT À FAIT ÇA ...

TAKUYA, IL A JUSTE ENVIE DE SE FAIRE DORLOTER ...
AVEC VOUS, IL FAIT UN CAPRICE DE GAMIN ...

ET COMME IL EST MALADROIT ...
MAIS C'EST SEULEMENT UN ENFANT QUI VEUT PROFITER DE LA SITUATION ! JE SUIS BIEN PLACÉ POUR LE COMPRENDRE...
... IL FAIT L'INVERSE ET SE MONTRE AGRESSIF !
...

DÉCIDÉMENT, ÇA FAIT DRÔLE...

...
SE DIRE QUE VOUS ÊTES KAZUHIRO KUBOTA, ET PAS TAKUYA...

OUI, SANS DOUTE ...

D'AILLEURS, MOI AUSSI... L'ACCIDENT, C'ÉTAIT ENTIÈREMENT DE MA FAUTE.
ET LE SIMPLE FAIT QUE JE PUISSE VIVRE COMME ÇA...
EST-CE QUE JE NE PROFITE PAS SACRÉMENT DE LA SITUATION ?

TAKUYA VA BIENTÔT REVENIR !

ET MOI, JE VAIS DISPARAÎTRE...
...

TAKUYA... C'EST À DIRE...
OÙ VOULEZ-VOUS ALLER ?

MA FOI... J'ESPÈRE BIEN AU PARADIS, TANT QU'À FAIRE !
MAIS BON...
MO
WMX

...

PUISQU'UNE CHANCE M'EST DONNÉE DE REVIVRE UN CERTAIN TEMPS...

... AVANT DE PARTIR DÉFINITIVEMENT ...
... IL Y A JUSTE UNE CHOSE QUE JE VOUDRAIS POUVOIR DIRE À MA FEMME.

MAMAN
...

TU SAIS,
JE L'AI
RENCONTRÉ,
PAPA...

QUOI ?
PAPA, IL
EST REVENU
DANS LE
CORPS D'UN
AUTRE
MAINTENANT
...

MAIS QU'EST-CE QUE TU RACONTES, TOMOMI !?
TU VEUX PARLER DE CE LYCÉEN QUI EST VENU HIER, ONODERA ?
OUI.

MAIS C'EST DES MENSON-GES, ÇA, VOYONS !
IL NE FAUT PAS CROIRE CES HISTOIRES !

MAIS MAMAN ...

PAPA EST MORT ...
ET C'EST À CAUSE DE CE JEUNE !
MAIS TU SAIS ...
MARU ...

MARU, C'EST UN CHIEN, ÇA NE COMPREND PAS CES CHOSES-LÀ !
QUAND MÊME ...
IL VA VENIR TOUS LES JOURS, IL VIENDRA ME VOIR TOUS LES JOURS !

IL N'EN EST PAS QUESTION !
JE NE VEUX PAS QUE TU LE VOIES !

MAIS MAMAN...

C'EST PAPA, CE GARÇON !

BAOOONN

J'étais un peu en retard...
Je devais rencontrer Kaori sur la friche de la rivière, à une heure de l'après-midi.

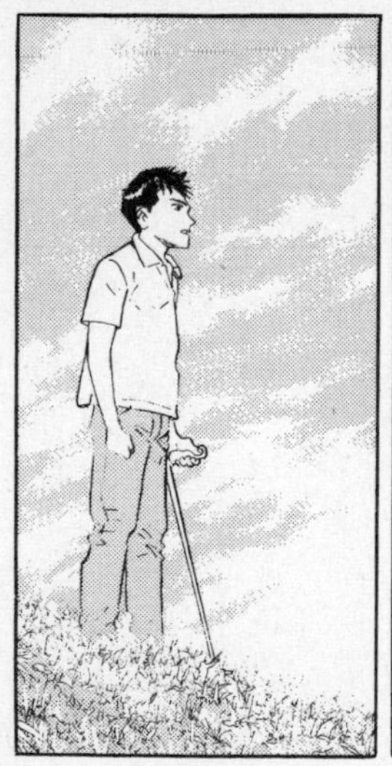

OÙ EST-CE QU'ON TRAVERSE, BON SANG ?

ELLE M'A POURTANT DIT QUE JE TROUVERAIS TOUT DE SUITE...

TIENS ?
MAIS C'EST TAKUYA ?!

HÉ-LÀ !
...
UNE MINUTE MON POTE...
TU NOUS IGNORES, LÀ...

DIS VOIR ...
PARAÎT QUE T'ÉTAIS À L'HOSTO ?

Qui c'est ces types ?

PARAÎT MÊME QUE T'AS FAILLI Y RESTER ?
T'AS EU UN SACRÉ COUP DE POT QUAND MÊME...
ÇA A FAIT UN FOIN D'ENFER AU BAHUT...

HMM ?
QU'EST-CE QU'Y NOUS FOUT, LÀ...
TU NOUS RECONNAIS PAS, C'EST ÇA ?

AH AH AH !
MAIS C'EST VRAI, ALORS !?

Des camarades de classe ?

COMME ÇA, T'AS PERDU LA MÉMOIRE ?
HEIN ?
OU TU TE FOUS DE NOTRE GUEULE ?

MAIS OUAIS, C'EST ÇA...
EN FAIT, TU SAIS MÊME PLUS QUI ON EST, PAS VRAI ?

NON, DÉSOLÉ ...
JE NE ME RAPPELLE PAS...

OUAH, AH AH AH AH !
C'EST TROP TOP, MAN !
VOUS ME LAISSEZ PASSER S'IL VOUS PLAÎT, JE SUIS PRESSÉ !
NON, J'Y CROIS PAS, C'EST PAS TAKUYA, CE MEC !
TROP BIZARRE !

Poc
!
OUPS, PARDON !
J'AI GLISSÉ, J'CROIS ...

OH, L'PÔVRE ...
TU VAS POUVOIR TE RELEVER TOUT SEUL ?
UMFF ...

T'AS AUSSI OUBLIÉ LA COMPÉT' ALORS...

LE CHAMPION-NAT RÉGIONAL DE MOTOCROSS DU KANTÔ...

ON VA TE REGRETTER VACHEMENT, C'EST BÊTE ...
JE VAIS GAGNER LES DOIGTS DANS L'NEZ, ÇA S'RA MÊME PAS AMUSANT...
DIS DONC, JE T'AVAIS PRÊTÉ DU FRIC, J'CROIS BIEN ? HÉ HÉ HÉ ...
FAUDRA ME LE RENDRE, HEIN !

ILS DÉ-
PASSENT
LES BORNES
...
... CES
PETITS
MERDEUX
...
GHOUF
...
BAH,
J'PLAISANTE
...
T'INQUIÈTE
...
AH AH
AH AH !
OH...
TCHOUF
HYAAAA
FLAAAA
OUAAAH !

CLAC
AÏE !
OUGH
ESPÈCE DE...

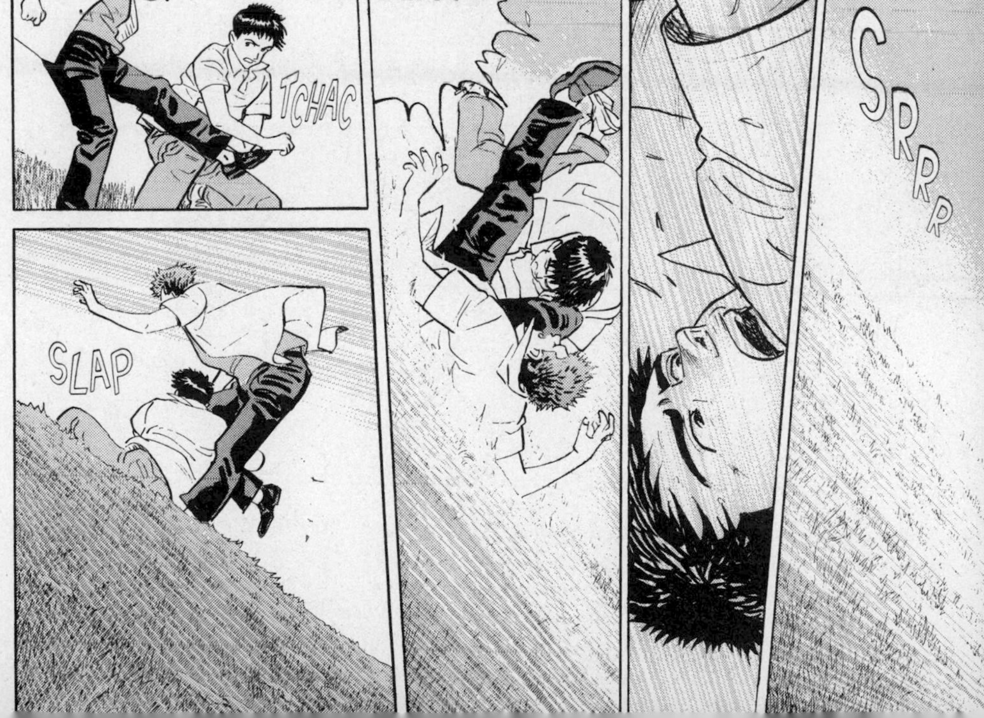
TCHAC
SLAP
OUAAAH
SRRR

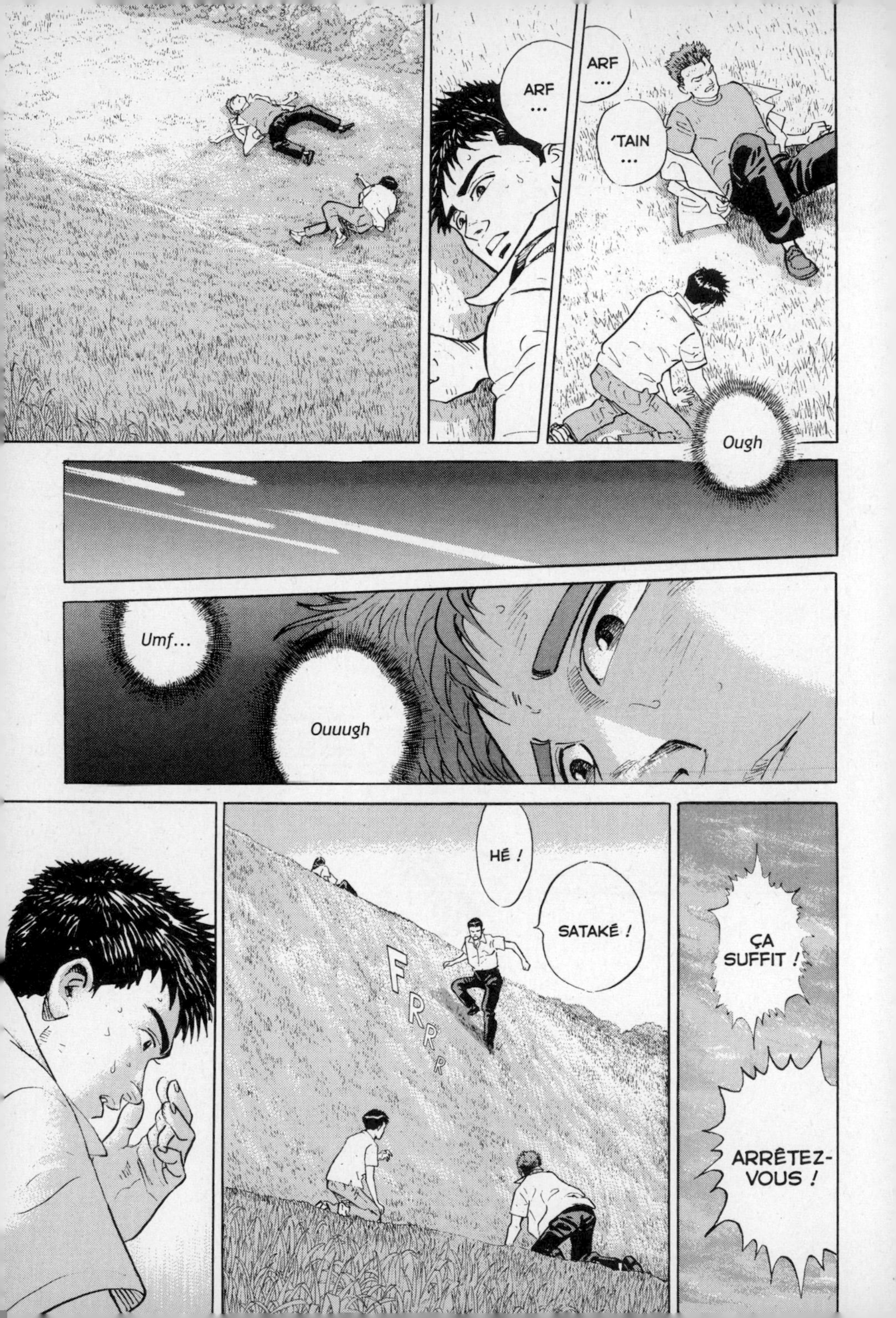

ARF …
'TAIN …
ARF …
Ough
Umf…
Ouuugh
ÇA SUFFIT !
ARRÊTEZ-VOUS !
HÉ !
SATAKÉ !
FRRRR

HAH
HAH

TAKUYA !

QU'EST-CE QUE VOUS LUI FAITES ?
VOUS N'AVEZ PAS HONTE ?
BANDE DE LÂCHES !
MERDE !
VOILÀ LA PÉNIBLE QUI RAPPLIQUE...

FRAPPER UN BLESSÉ !

FRRRR
SI VOUS VOULEZ VOIR LEQUEL EST LE MEILLEUR, FAITES ÇA SUR LE CIRCUIT !

PFFF ...

BON ALLEZ ...
ON S'TIRE !
OUILLE ...
TAKUYA ?

ÇA VA ?
TU PEUX TE LEVER ?
OUGH...

JE ME SUIS TORDU LA CHEVILLE...
ÇA ME FAIT MAL...

C'ÉTAIENT QUI, CES GUIGNOLS ?
DES NULS QUI AVAIENT TOUJOURS TON POT D'ÉCHAPPEMENT DANS LE NEZ, À MOTO !

MAIS TU T'EN RAPPELLES PAS, ÉVIDEMMENT !
...

DIS DONC, LA CLASSE, HEIN ?
JE T'AI VU LEUR DONNER UNE LEÇON. TU AS ASSURÉ, LÀ...

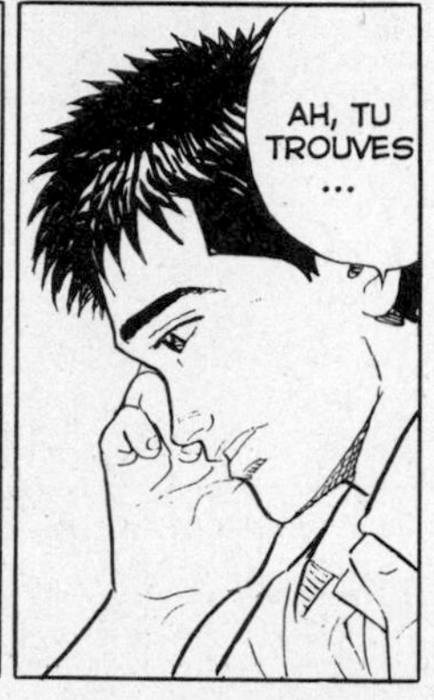
AH, TU TROUVES...

DISONS PLUTÔT QUE JE ME SUIS COMPORTÉ COMME UN GAMIN...

JE FAISAIS DU JUDO QUAND J'ÉTAIS JEUNE...
ÇA M'EST REVENU TOUT SEUL...

S'IL N'Y AVAIT PAS EU CETTE JAMBE...
JE LES AURAIS TOUS ENVOYÉS AU TAPIS !

TU VAS Y ARRIVER ?
J'AI PROMIS À TOMOMI D'ALLER LA VOIR...
T'INQUIÈTE PAS, JE RAMPERAI S'IL LE FAUT...
TU ES SÛR QUE ÇA VA ?
GRÔ GRÔÔÔÔ
...
Ah...
...
TU PEUX MAR-CHER ?
DZÂK
GRÔ GRÔÔÔÔ
Aaah ...
QU'EST-CE QUI SE PASSE ? TAKUYA ?
Hah
Hah

TAKUYA VA REVENIR !
AH, C'EST TAKUYA !
Hah
Hah
UMF ...
POF
TAKUYA ?
IL VA ENCORE SE PASSER UN TRUC ?

QU'EST-CE QUI T'ARRIVE ?
QU'EST-CE QUE TU DIS ?

Ah, Kaori !

TAKUYA ?
Qu'est-ce que je fais ici ?
Qu'est-ce que..

Mais...
Ah...

DEDANS, LÀ... TAKUYA EST REVENU.

... ?
TAKUYA EST LÀ MAINTENANT, AVEC MOI ...
KAORI !

QU'EST-CE QUE ÇA VEUT DIRE ?
QU'EST-CE QUI SE PASSE ?

FSHHH

FSHHH

OH...
IL PLEUT TRÈS FORT !

PAPA ...
IL VA PAS VENIR AUJOUR'HUI ?
TOMOMI !
JE T'AI DIT D'ARRÊTER AVEC CETTE HISTOIRE !

MAIS C'EST VRAI !
IL A PROMIS !

...

C'EST BON, J'AI COMPRIS ...
C'EST MA FAUTE, D'ACCORD ...
MAMAN ...

C'EST PARCE QUE JE PENSE TOUJOURS À PAPA, TU VOIS…

PARDON, TOMOMI !
MAIS NON !
C'EST VRAI, MAMAN !

TU SAIS …
JE LUI AI PARLÉ, À PAPA !
…

IL M'A DIT QU'IL VOULAIT QUE TU COMPRENNES.

MAIS C'EST VRAI, JE TE DIS ! CE GARÇON, C'EST PAPA !
…

DIS, MAMAN …
TU VEUX BIEN LUI PARLER, DIS ?
IL FAUT FAIRE VITE, PARCE QUE, BIENTÔT …

IL VA DEVENIR QUELQU'UN D'AUTRE !
...
HEIN, MAMAN ?
" IL EST ENCORE VIVANT ! "
" JE SUIS VENU VOUS DIRE À TOUTES LES DEUX QU'IL EST ENCORE VIVANT ! "

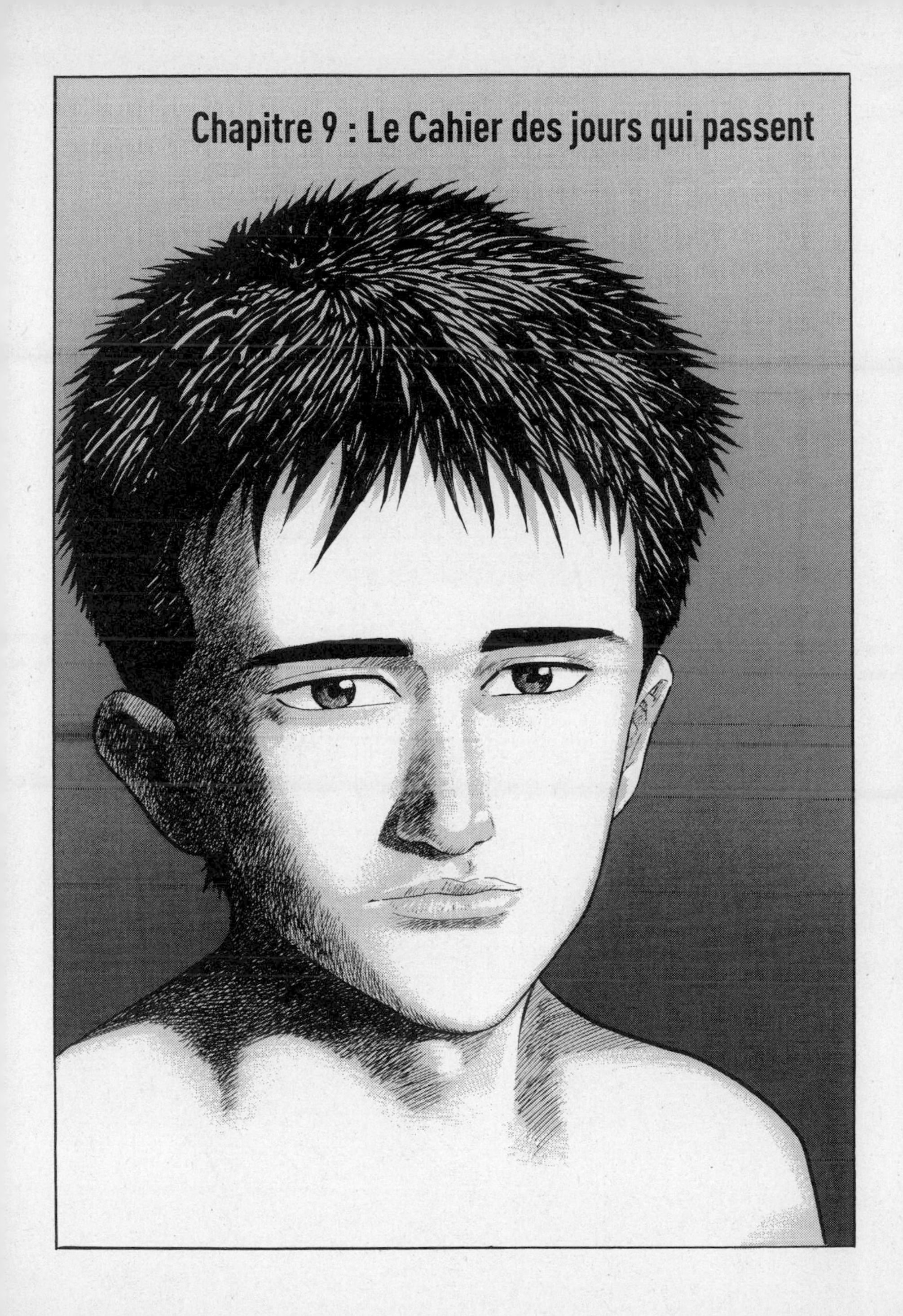
Chapitre 9 : Le Cahier des jours qui passent

FSHHH

JE COM-PRENDS PAS TRÈS BIEN...

Kaori !

Qu'est-ce que tu comprends pas ?
Que c'est moi ?
Regarde-moi bien, Kaori !

C'EST VRAI !
TAKUYA EST LÀ, MAINTENANT.

FINALEMENT... LA CONSCIENCE DE TAKUYA S'EST RÉVEILLÉE !
QUOI ?

C'EST VRAI ?
MAIS, JE SUIS TOUJOURS DANS SON CORPS, MOI AUSSI ...
NOUS SOMMES ICI TOUS LES DEUX, KAZUHIRO KUBOTA ET TAKUYA ONODERA.

QU'EST-CE QUE ÇA VEUT DIRE !?

LA CONSCIENCE DE TAKUYA EST REVENUE, MAIS SEULEMENT SA CONSCIENCE...
IL N'EST PAS ENCORE CAPABLE DE FAIRE PARLER OU DE FAIRE BOUGER SON CORPS...
...

MAIS JE TE TRANSMETTRAI CE QU'IL ME DIT...
C'EST PAS VRAI !?

Mais, Kaori, enfin... C'est moi, quoi !
Je suis là ! Devant toi ! Tu ne me vois pas ?
J'Y CROIS PAS !

Merde, fais quelque chose, le vieux !

BEN ALORS ...
OÙ EST-IL ? QU'EST-CE QU'IL FAIT, TAKUYA ?
IL EST LÀ !
IL TE VOIT PAR SES YEUX.

...

Kaori !

KAORI.
IL EST LÀ, IL PENSE À TOI, IL NE TE QUITTE PAS DES YEUX.
QU'EST-CE QUE ...

QU'EST-CE QUE JE DOIS FAIRE ...
Kaori !
C'est moi !

FSSSH
...
IL EST COMME MOI.
IL N'A QUE TOI SUR QUI COMPTER.

Kaori ...

AH, MAIS C'EST VRAI...

Kaori !
C'EST TOI !

Sur le coup, je me suis senti gêné
et troublé à la fois...

Mais j'éprouvais aussi le désir bien plus fort
de Takuya de prendre son amie dans ses bras.
Je me suis effacé...

OUI, C'EST TOI ...
C'EST BIEN TOI...
J'ENTENDS TON CŒUR, TAKUYA...

C'était un sentiment plutôt étrange...

Je la tenais dans mes bras... C'était une impression très chaude, très douce... Comme un lointain souvenir...
Les larmes me sont montées aux yeux... J'ai pensé : "Oui, je suis vivant !" Je ne sais pas... C'était vraiment étrange.

FSHHH

IL PLEUT ...
ÇA S'ARRÊTE PAS ?

TOMOMI !

MAIS ...
PAPA ...
TOMOMI ! SI TU CONTINUES, JE VAIS ME FÂCHER !

TU VOIS, MOI AUSSI ...
... J'AI DÉCIDÉ DE NE PLUS PLEURER EN PENSANT À PAPA.

À VRAI DIRE, QUAND JE VIENS DANS LE BUREAU DE PAPA...
... J'AI ENCORE LA SENSATION QU'IL EST LÀ ET ÇA ME FAIT CHAUD AU CŒUR...

...

PARCE QUE PAPA A LAISSÉ BEAUCOUP DE LUI-MÊME DANS CETTE PIÈCE...

PAPA, DOUX ET CALME...

PAPA, CONCENTRÉ SUR SON TRAVAIL ...
PAPA ANGOISSÉ AUSSI...

MAIS... IL Y AVAIT AUSSI UN PAPA HEUREUX ET GAI !

IL NOUS A LAISSÉ PLEIN DE CHOSES, À TOUTES LES DEUX...

MAMAN ...
C'EST POUR ÇA QU'EN RANGEANT SES AFFAIRES, PARFOIS J'ÉTAIS SI TRISTE...
...
PAC
MAIS MAINTENANT, J'AI DÉCIDÉ D'ÊTRE FORTE ! D'ÊTRE COURAGEUSE POUR MA PETITE TOMOMI.

* Guam-Saipan ** Tahiti

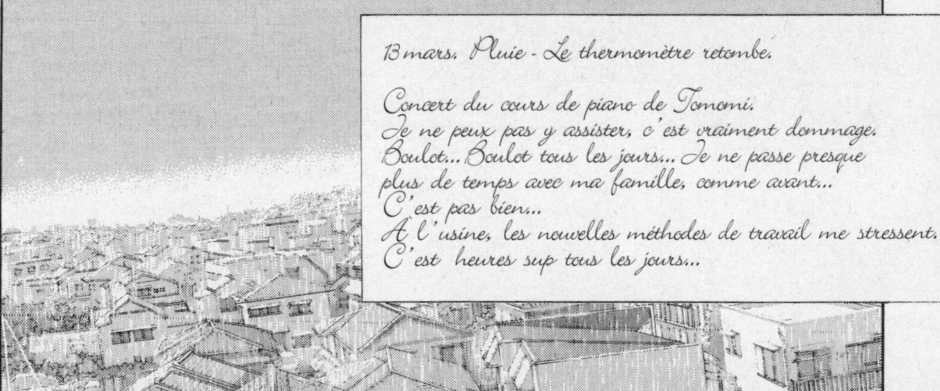

13 mars. Pluie - Le thermomètre retombe.
Concert du cours de piano de Tomomi.
Je ne peux pas y assister, c'est vraiment dommage.
Boulot… Boulot tous les jours… Je ne passe presque plus de temps avec ma famille, comme avant…
C'est pas bien…
A l'usine, les nouvelles méthodes de travail me stressent.
C'est heures sup tous les jours…

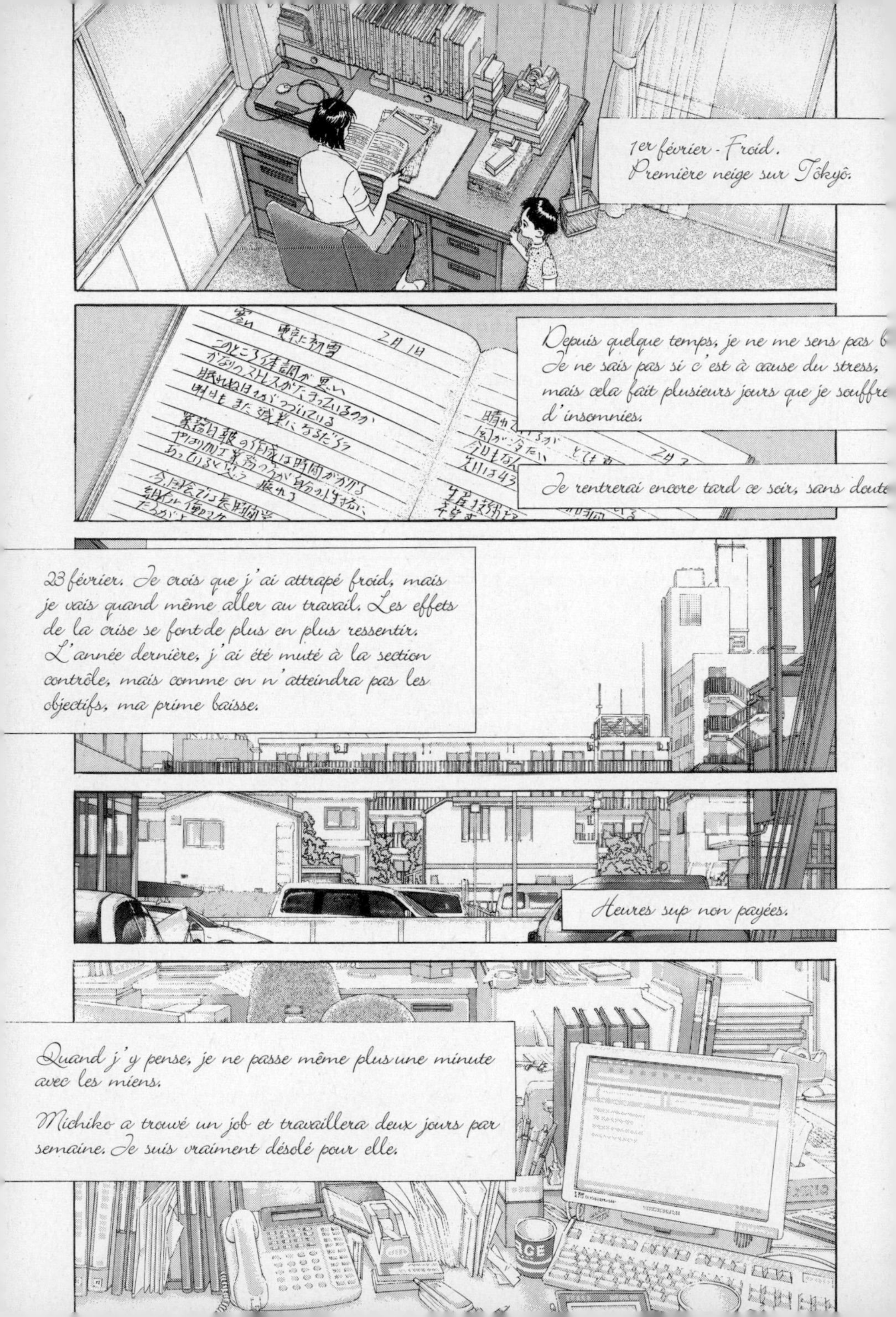
1er février - Froid.
Première neige sur Tôkyô.
Depuis quelque temps, je ne me sens pas b
Je ne sais pas si c'est à cause du stress,
mais cela fait plusieurs jours que je souffre
d'insomnies.
Je rentrerai encore tard ce soir, sans doute
23 février. Je crois que j'ai attrapé froid, mais je vais quand même aller au travail. Les effets de la crise se font de plus en plus ressentir. L'année dernière, j'ai été muté à la section contrôle, mais comme on n'atteindra pas les objectifs, ma prime baisse.
Heures sup non payées.
Quand j'y pense, je ne passe même plus une minute avec les miens.
Michiko a trouvé un job et travaillera deux jours par semaine. Je suis vraiment désolé pour elle.

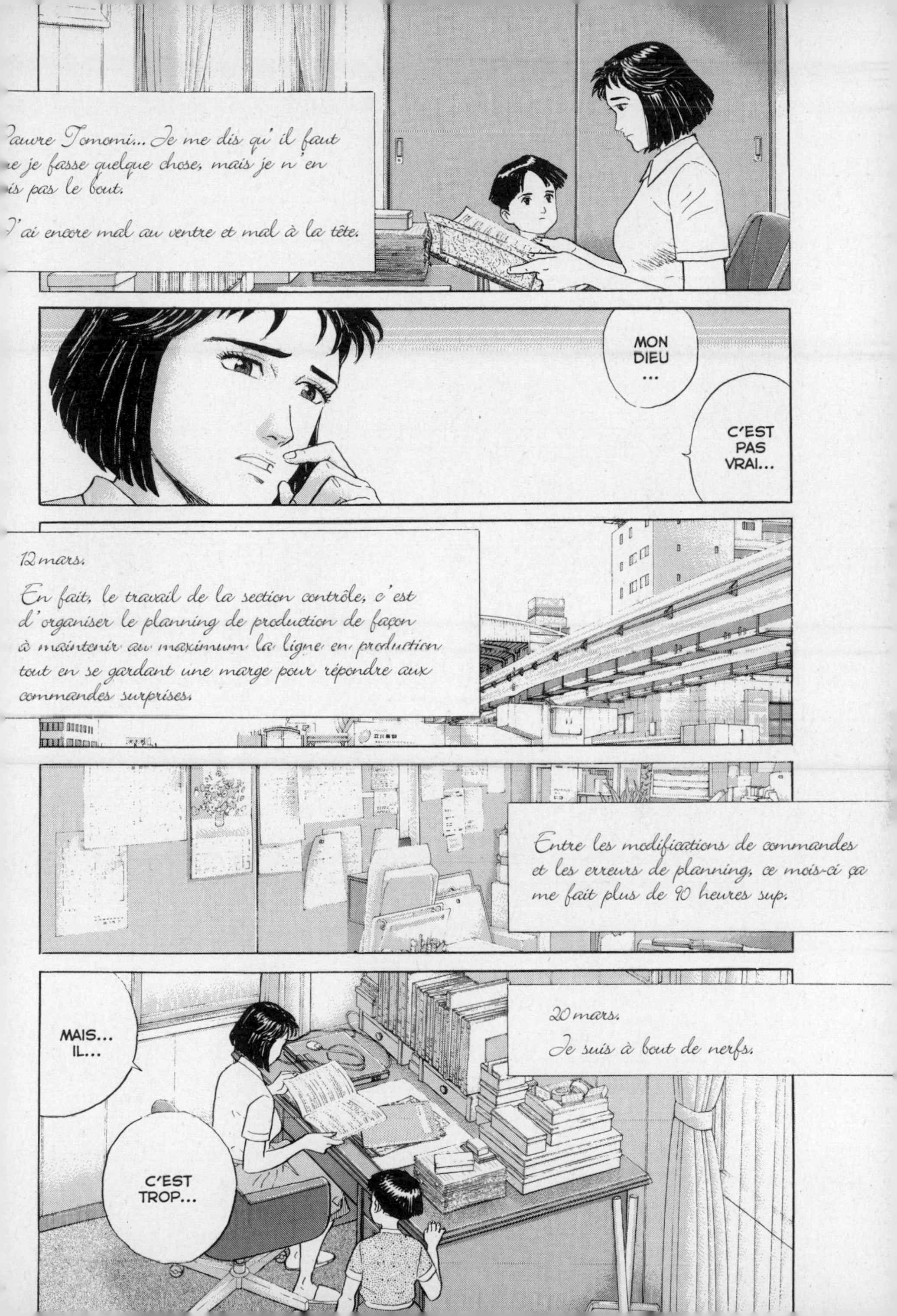
auvre Tomomi... Je me dis qu' il faut
e je fasse quelque chose, mais je n' en
is pas le bout.
'ai encore mal au ventre et mal à la tête.
MON DIEU ...
C'EST PAS VRAI...
12 mars.
En fait, le travail de la section contrôle, c' est d' organiser le planning de production de façon à maintenir au maximum la ligne en production tout en se gardant une marge pour répondre aux commandes surprises.
Entre les modifications de commandes et les erreurs de planning, ce mois-ci ça me fait plus de 90 heures sup.
20 mars.
Je suis à bout de nerfs.
MAIS... IL...
C'EST TROP...

Ça fait plusieurs fois que je vais voir le docteur et l'ostéopathe, mais je préfèr ne rien dire à Michiko. C'est pas le moment de l'inquiéter.
3 mai.
Je ne trouve toujours pas une minute pour jouer avec Tomomi. Je sais que ce n'est pas bien, mais qu'est-ce que je peux faire ? Tout à l'heure, pendant les heures sup, j'ai eu la nausée.
Je ne peux décemment pas prendre des congés en ce moment...
Je ne peux pas faire ça aux collègue
"Bossez !", "Pas d'heures sup !", "Augmentez la production !" Et moi, j'entends : "Mort par surmenage..."
Michiko m'a demandé de prendre un congé. On dirait qu'elle se fait du souci pour ma santé.
Mais je vais essayer de tenir au moins jusqu'aux résultats de l'exercice, à l'automne.

31 mai.
Quand j'aurai fini le bilan, les commandes et les livraisons de juillet, je prendrai quelques jours de congé.
Si je tiens jusque-là...

À peine plus d'un mois, courage !
MAIS POURQUOI ...
POURQUOI NE M'AS-TU RIEN DIT ?

13 juin - Grand beau temps.
On se croirait en été. Quand je pense à Tomomi et Michiko, ça me fait vraiment de la peine.
Mon mal à l'estomac empire. Je suis passé chez le docteur. Il m'a conseillé une fibroscopie.

Michiko m'a dit que j'avais maigri.

20 juin.
La chaleur me donne mal au cœur.
J'ai de moins en moins d'appétit.
Nouvel examen à l'hôpital.
HEIN ? QU'EST-CE QUE C'EST ?
MON DIEU, MAIS...
... POURQUOI C'EST BARRÉ ?
24 juin - Pluie.
Je ne suis pas allé à l'usine aujourd'hu
Je suis resté à la maison avec Michiko et Tomomi.
Ce soir, je me suis senti mal sur la pelouse du jardin public
J'ai envie d'aller à la mer. Je vais réserver un hôtel avec une belle vue pour passer quelques jours tranquilles tous les trois.
Bientôt... Michiko ! Tomomi ! Encore un peu de patience !
TU ME L'AVAIS CACHÉ !?

29 juin.
Je me sens en meilleure forme. Je me sens bien. Bien mieux même. J'ai comme l'impression que je peux guérir. J'ai dit à Michiko que je prenais des médicaments pour l'estomac...

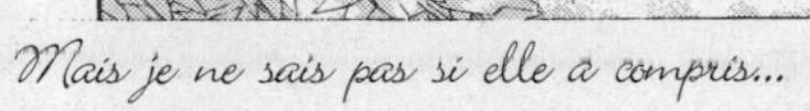
Mais je ne sais pas si elle a compris...

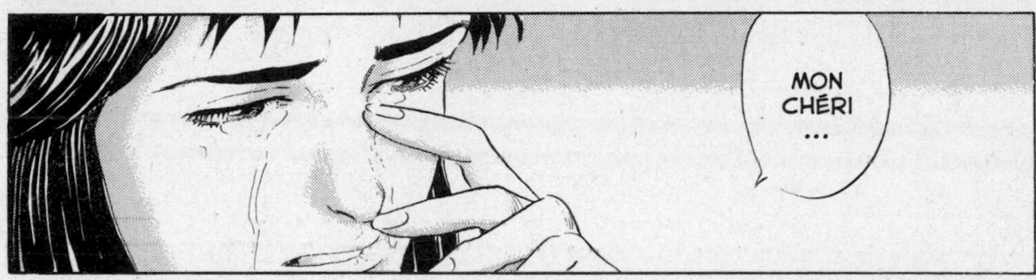
MON CHÉRI ...

MAMAN ?
POURQUOI TU NE M'AS RIEN DIT...

POUR-QUOI ?
POUR-QUOI ?

1er juillet - Presqu'île d'Izu ; beau temps.
Ça fait un an que je n'avais pas revu la mer. Magnifique journée. Ça faisait si longtemps qu'on n'était pas partis quelque part tous les trois. Tomomi et Michiko aussi sont contentes.

Le bonheur, quoi. J'ai vraiment de la chance d'avoir épousé Michiko.
Je veux leur rendre le bonheur qu'elles me donnent, toutes les deux

OUH ...
MAMAN ...
OUH ...
PAPA VA VENIR !
NE PLEURE PAS ...

SI J'AVAIS SU QU'IL ÉTAIT MALADE...
SI J'AVAIS SU QUE C'ÉTAIT SI GRAVE...
C'est peut-être notre dernier voyage ensemble.
JE NE SAVAIS PAS...
Mais je veux vivre. Maintenant, je le veux de toutes mes forces.
POURQUOI ?
POURQUOI TU...
FSHHH...
MAMAN ...

BAOOONNN

ALORS ...
TU VEUX BIEN M'AIDER, TAKUYA ?

T'aider... T'aider...
Est-ce que j'ai le choix ?

À cause de toi, je peux rien faire, en fait...
PARDON ...

Moi, je veux juste que tout redevienne normal.
Parce que ça commence à bien faire, tout ça !

TU VEUX DIRE QUE... LÀ, TU PARLES AVEC TAKUYA ?
OUI.
JE SUIS DÉSOLÉ POUR LUI, C'EST MA FAUTE.

ALORS ...
... TAKUYA, IL A UNE DOUBLE PERSONNALITÉ, C'EST ÇA ?
MAIS NON !

BEN OUI QUOI, TAKUYA ET L'AUTRE MONSIEUR ...
OUI... ENFIN, C'EST UN PEU ÇA...
Tu parles d'une histoire, merde...

ET ÇA VA RESTER TOUT LE TEMPS COMME ÇA ?

TAKUYA ?
Eh, oh !
Arrête !
Parle pas
de malheur !

MAIS… NON, ÇA VA PAS DURER, J'EN SUIS SÛR…
D'AILLEURS… TU VOIS, TA CONSCIENCE EST DÉJÀ BIEN REVENUE…

BRRR

HEIN ?
SLIT

FRRR

TAKUYA !
ENCORE ?
TAKUYA !
AH !
TAKUYA !
FLOP

Ah...
Non !
Non !
Non, pas encore...
Je n'ai pas encore fini...
Il faut que j'y retourne...
Encore une fois...

Ah... Quelqu'un...
Takuya !
Takuya, c'est toi ?

TAKUYA !
TAKUYA !!!
OUGH ...
AH, TU TE RÉVEILLES !
OUGH ...
ALORS, TU ES QUI CETTE FOIS ?

Chapitre 10 : Un air d'été

TAKUYA !
ALORS ? TU ES QUI MAINTENANT ?

TAKUYA ? TU ES TOUJOURS LÀ ?
MERCI ...
ÇA VA ...

TAKUYA M'A AIDÉ...
QUOI ?

IL ÉTAIT LÀ, JE L'AI VU...
À LA FRONTIÈRE, DE L'AUTRE CÔTÉ...

QU'EST-CE QUI S'EST PASSÉ ?

EH BIEN...
IL EST VENU ME CHERCHER ET IL M'A RAMENÉ ICI...
PAS VRAI, TAKUYA ?
J'ALLAIS PARTIR, SANS DOUTE ?

TAKUYA ?
C'EST PAS ÇA ?

...
Bof... J'en sais trop rien...
Je me suis juste trouvé là-bas par hasard...

Et tu m'as suivi, c'est tout...
C'est pour ça que tu es revenu...
Moi, j'ai rien fait...

AH BON ...
EN TOUT CAS, ÇA VEUT DIRE QU'IL NE ME RESTE PLUS BEAUCOUP DE TEMPS...

MAIS SI JE NE T'AVAIS PAS APERÇU...
JE SERAIS SANS DOUTE PARTI...
DÉFINITI-VEMENT ...
TAKUYA !
Kaori...
Oui, je suis là !

ÇA VA ?
TU PEUX MAR-CHER ?
UMPF !

OUI...

DÉPÊCHONS !

FAUT Y ALLER !

J'AI PROMIS !
MÊME SI JE NE PEUX PAS, JE DOIS Y ALLER !

Démerde-toi, hé...

PFF... TOI ALORS ...
TOMOMI M'ATTEND, KAORI...
TAKUYA ! JE COMPTE SUR TOI !

DU THÉ... VOICI.
POC

NON.
TOUS LES JOURS, COMME ÇA... JE VOUS EMBÊTE...
MERCI.

CE JEUNE, HIER... ÇA M'A TURLUPINÉ, COMMENT DIRE...
MAIS À VRAI DIRE ...

... COMMENT POUVAIT-IL ME CONNAÎTRE ?
EN Y RÉFLÉCHISSANT ...
IL SAVAIT MÊME MON NOM ! ÇA M'A FAIT UNE IMPRESSION PÉNIBLE...

...

ET VOUS, MADAME ...
... VOUS LE CONNAISSIEZ, CE JEUNE ?
NON.

C'EST LE GARÇON QUI A EU UN ACCIDENT AVEC MON MARI.
C'ÉTAIT LA PREMIÈRE FOIS QUE JE LE RENCONTRAIS, MOI AUSSI.

AH BON.
MAIS ALORS, QU'EST-CE QUE ÇA VEUT DIRE ?

EST-CE QUE PAR HASARD IL VOULAIT CHERCHER DES HISTOIRES, POUR L'ACCIDENT ?
MA FOI...

NON, C'EST PAS ÇA ...

TOMOMI !
... ?

CE JEUNE ...
C'EST PAPA.

TOMOMI ! ÇA SUFFIT !
...

MAIS C'EST VRAI !
C'EST PAPA !

PAUVRE ENFANT...
SLUP

À PROPOS...
AVEZ-VOUS TROUVÉ ?
AVEZ-VOUS TROUVÉ QUELQUE CHOSE SUR LES RÉSULTATS DE L'ENTREPRISE ?

NON ...
CE MATIN, J'AI COMMENCÉ À RANGER LE BUREAU DE MON MARI...

ET...
ALORS ?

... MAIS JE N'AI RIEN TROUVÉ DE SPÉCIAL...
... À PART SON JOURNAL...
SON JOURNAL ?!

SI JE...

OUH ...

...
SI J'AVAIS SU PLUS TÔT...

JE M'EN VEUX ...
TOUT CE QU'IL A DÛ SUBIR...
JE LUI AURAIS DIT DE DÉMISSIONNER...

...

UN INSTANT, S'IL VOUS PLAÎT...
VOUS ALLEZ TROP VITE, DE QUOI PARLEZ-VOUS ?
EH BIEN...

MON MARI A TROP SOUFFERT ...
ET JE NE M'EN SUIS MÊME PAS RENDU COMPTE ...

QUELLE MAUVAISE ÉPOUSE J'AI ÉTÉ...
OUH ...
MAMAN ...
...

M. ÔMURA ...
VOUS DEVIEZ LE SAVOIR, VOUS... LES CONDITIONS DE TRAVAIL DE VOTRE ENTREPRISE ...
EH BIEN, EUH...

JE CROIS QUE LA CAUSE PREMIÈRE DE LA MORT DE MON MARI EST LIÉE À L'ÉNORME SURPLUS DE TRAVAIL QUI LUI ÉTAIT DEMANDÉ À L'USINE...

OUI, C'EST À CAUSE DE L'USINE QU'IL EST MORT !
ET J'AI DÉCIDÉ DE DEMANDER RÉPARATION À SON EMPLOYEUR POUR ACCIDENT DU TRAVAIL.
MADAME !

JE NE CROIS PAS QUE CE SOIT LE SOUHAIT DE VOTRE MARI !
ÉCOUTEZ ...

...
SI VOUS ATTAQUEZ EN JUSTICE LA SOCIÉTÉ DE VOTRE MARI...
... CELA REVIENDRAIT À LE DÉSHONORER, VOUS EN ÊTES BIEN CONSCIENTE !

ET JE CROIS...
JE PENSE QUE CELA DOIT SE RÉGLER AU VU DE TOUS, ET NON PAS SIMPLEMENT À L'AMIABLE...

NON.
NOUS RÉGLERONS TOUS LES FRAIS CAUSÉS PAR L'ACCIDENT...
NOUS SOMMES LE NUMÉRO UN DU SECTEUR...

MAIS... MAIS VOYONS...

JE VOUS PRIE DE FAIRE PASSER LE MESSAGE À VOS SUPÉRIEURS.
MONSIEUR ÔMURA !

... IL M'APPROUVERAIT.
... QUE SI MON MARI ÉTAIT VIVANT...
MADAME, ÉCOUTEZ...

Ding
Dong
OUAH OUAH
OUAH
AH !
OUAH OUAH
OUAH
C'EST PAPA !
TOMOMI !
...
TAP
TAP
PAPA !

CLANG
PAPA !
TOMOMI !
OUAH
GÎÎÎ
PAPA !
TU VOIS ? JE TE L'AVAIS PROMIS !
VOUI !
Pfff… Oh là là …
Qu'est-ce qui faut pas faire !

OUAH
OUAH
OUI OUI OUI …
TOI AUSSI, MARU, TOI AUSSI !
OUAH
BON CHIEN !
Ôeurk !
C'est pas vrai, tu…
ALORS, TOMOMI …
ET MAMAN ?
OUI !
JE LUI AI DIT !
CLIC
AH !
ENCORE ?
ÔMURA …
ENCORE TOI ?
OUAH
OUAH
MAIS …
COMMENT TU ME CONNAIS, D'ABORD ?

C'EST KUBOTA QUI T'A PARLÉ DE MOI ?
DIS-MOI PLUTÔT CE QUE TU FOUS TOUJOURS FOURRÉ CHEZ MOI, TOI ?
TAKUYA !

ARRÊTEZ !
MONSIEUR ÔMURA ! AU REVOIR, PARTEZ !

MICHIKO ...
JE VOUS REMERCIE, MAIS À PARTIR DE MAINTENANT...
... C'EST MOI QUI ME DÉPLACERAI AU SIÈGE DE VOTRE SOCIÉTÉ.

FORT BIEN...

AU REVOIR MADAME.
CLAC
OUAH
OUAH
...

OUAH
OUAH
OUAH

AH...

IL NE PLEUT PLUS...

MICHIKO !

MAMAN ...
TU VOIS, PAPA EST REVENU ! COMME IL L'AVAIT PROMIS !
...

DIS...
TU VOIS, C'EST PAPA !

Mouais...
Situation plutôt gênante, non ?
MADAME, S'IL VOUS PLAÎT...
TAKUYA VOUDRAIT VOUS PARLER, VOUS VOULEZ BIEN ?
...

ET VOUS, VOUS ÊTES QUI ?
JE M'APPELLE KAORI OKITA.
JE SUIS DANS LA MÊME CLASSE QUE TAKUYA.

MOI AUSSI, AU DÉBUT, J'AI TROUVÉ ÇA COMPLÈTEMENT RIDICULE...
ET MÊME SI J'Y CROIS ENCORE QU'À MOITIÉ...

J'AI DÉCIDÉ D'Y CROIRE AUTANT QUE POSSIBLE.
PAR AMOUR POUR TAKUYA !

Euh... Merci, Kaori...
...
ALORS... ÉCOUTEZ VOTRE PETITE FILLE !
MAMAN !
VITE ! SINON PAPA VA PARTIR !

OUI, C'EST VRAI ! IL N'A PAS BEAUCOUP DE TEMPS !
M. KUBOTA EMPRUNTE JUSTE LE CORPS DE TAKUYA...
ÇA VA PAS DURER LONGTEMPS, C'EST PAS POSSIBLE !

MICHIKO ...

BON...
ENFIN, ENTREZ, EN TOUT CAS...

Bof…
Alors, c'est ça, ta tronche ?
C'est la première fois que j'te vois, en fait…

C'EST ÉTRANGE COMME IMPRESSION …
JE BRÛLE UN BÂTON D'ENCENS DEVANT MON PROPRE AUTEL…

OUI …
FINALEMENT, C'EST ÇA LA RÉALITÉ…
JE SUIS MORT…

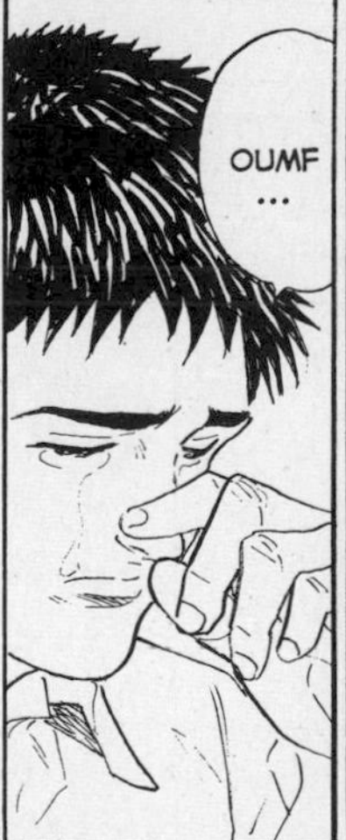
OUMF …

BOUH OUH…
ÇA Y EST…
TU REPLEURES !

BON, TU AS QUELQUE CHOSE À DIRE, JE CROIS ? ALORS FAIS-LE VITE !
SINON TAKUYA VA REVENIR, NON ?

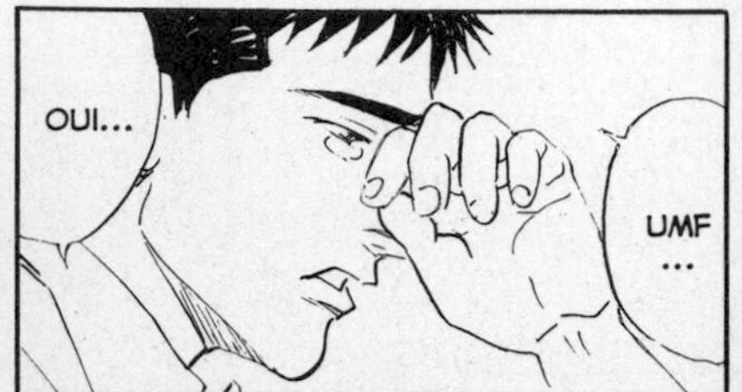
OUI...
UMF ...

Ça commence à devenir pénible…
Les mecs larmoyants, je supporte pas…
Tu peux pas être un peu plus viril, le vieux ?
AH OUI, TU AS RAISON...

MICHIKO ...
EXCUSE-MOI...
...
C'EST BIEN TARD POUR TE LE DIRE ...

... MAIS JE M'EXCUSE D'ÊTRE MORT COMME ÇA... EN VOUS LAISSANT AINSI TOUTES LES DEUX ...
JE VOUS DEMANDE PARDON ...
PAPA ...

ÉVIDEMMENT...
JE NE VOUS DEMANDE PAS DE LE CROIRE MAINTENANT...

MOI NON PLUS…
… AU DÉBUT, JE N'AI PAS COMPRIS CE QUI SE PASSAIT.

PUIS QUAND TOMOMI A COMPRIS, J'AI ÉTÉ SI HEUREUX !
JE ME SUIS DIT QUE… PUISQU'ENTRE UN PÈRE ET SON ENFANT, CES CHOSES-LÀ POUVAIENT PASSER…
… J'AI VOULU QUE TU LE SACHES, TOI AUSSI !
QUE J'ÉTAIS ENCORE VIVANT, DANS CE CORPS … CELUI DE TAKUYA ONODERA !

COMMENT EST-CE POSSIBLE ?
J'AIMERAIS VOUS CROIRE, VOUS PENSEZ BIEN…
POUVOIR ME DIRE QUE VOUS ÊTES MON MARI… MAIS JE NE PEUX PAS, VOUS ÊTES M. ONODERA, C'EST TOUT…
MAMAN …
JE SUIS DÉSOLÉE …
…
Eh oui, qu'est-ce que je disais !
Je suis moi, c'est tout…

DIS...
IL N'Y A PAS QUELQUE CHOSE ? UN TRUC QUI POURRAIT LUI PROUVER QUE TU ES KUBOTA ?
JE POURRAIS ARRIVER À CROIRE QUE VOUS ÊTES MON MARI...
JE NE VOIS PAS COMMENT ...

SI...
IL Y A BIEN QUELQUE CHOSE...
...
JE NE SAIS PAS... UN SECRET QUE VOUS CONNAISSEZ SEULEMENT TOUS LES DEUX, PEUT-ÊTRE...
TU NE VOIS PAS ?

J'ai donc raconté à ma femme tout ce qui s'était passé depuis l'accident.

MICHIKO ...
MAIS EST-CE QUE TU ME CROIRAS ?

Chapitre 11 :
Je ne vous
oublierai
jamais

C'EST UNE SORTE DE MIRACLE...

QUE TAKUYA S'EN SOIT SORTI...
... ET QUE JE ME RETROUVE COMME ÇA DANS SON CORPS...

...
OH BIEN SÛR, JE SAIS...
TU NE ME CROIS PAS, ET C'EST TOUT NATUREL ...

CE N'EST PAS LE GENRE DE CHOSE QUI ARRIVE À TOUT LE MONDE.
"ON" M'A ACCORDÉ QUELQUES INSTANTS DE PLUS POUR ME PERMETTRE DE NE PAS MOURIR AVEC ÇA SUR LE CŒUR...

C'EST COMME ÇA QUE J'INTERPRÈTE CE QUI M'ARRIVE, EN TOUT CAS.
ALORS QUE J'AURAIS DÛ ÊTRE RES-PONSABLE DU BONHEUR DE MA FAMILLE ...

POUR LA PREMIÈRE FOIS...
J'AI VRAIMENT PRIS CONSCIENCE QUE JE N'AVAIS RIEN FAIT POUR VOUS DE MON VIVANT ...
...
EN FAIT, CETTE NUIT-LÀ ...
... SANS AUCUNE PRÉMÉDITATION...
... PRESQUE SANS RIEN PENSER DU TOUT...

OUI... INCONSCIEMMENT...
J'AVAIS TELLEMENT MAL...
GNIIIII

WIIII WIIII
J'AI FUI ...
NON...
... QUE J'AI VOULU FUIR...

DEPUIS QUE J'AI COMPRIS ...
J'AI DES REMORDS.
CELA ME SOULAGE QUE TAKUYA S'EN SOIT SORTI, AU MOINS.
Encore heureux, ouais !
Parce qu'en plus t'aurais voulu m'entraî-ner avec toi ? Manquerait plus que ça !

EXCUSE-MOI...
VOILÀ, MICHIKO ...
C'EST CE QUE JE VOULAIS TE DIRE...
...

POURQUOI ?
POURQUOI ES-TU RESTÉ À SOUFFRIR TOUT SEUL ?
DÉSOLÉ ...
JE NE VOULAIS PAS T'IMPOSER ÇA, EN PLUS...
...
JE VOULAIS TOUT GÉRER TOUT SEUL... PARDON...

AH...
QUE DE SOUVENIRS ...
Alors, c'est ici que tu travaillais, c'est ça ?

J'ÉTAIS EN TRAIN DE RANGER LE BUREAU DE MON MARI...
ALORS... TU AS TROUVÉ MON JOURNAL ?
DITES ...
VOUS VOULEZ PEUT-ÊTRE QUE JE SORTE ?
OUI.

NON, RESTE !
TAKUYA EST LÀ AUSSI, ALORS RESTE !
AH.
Kaori...
BON, D'ACCORD.

SHHH
BON ...

C'EST LÀ QUE JE RANGEAIS LA CLÉ DU TIROIR DU BUREAU ...

ÔMURA, LE CHEF DE SERVICE, EST VENU POUR T'EMPÊCHER DE LES ATTAQUER EN JUSTICE POUR ACCIDENT DU TRAVAIL, J'IMAGINE ?
OUI.
CLAC
MÉFIE-TOI DE CETTE SOCIÉTÉ. ON NOUS DEMANDAIT DE FAIRE DES RELEVÉS D'HEURES SUP COMPLÈTEMENT BIDONS !

C'EST POUR ÇA QUE JE TENAIS UN AUTRE JOURNAL DE MON TRAVAIL.
PAC
J'AI ICI TOUTES LES DONNÉES DE MES HEURES DE BOULOT.

ET PUIS CECI...

...

J'AVAIS DÉJÀ DEMANDÉ À UN AVOCAT, Me KIKUCHI, DE S'EN OCCUPER.
JE VOUDRAIS QUE TU LUI REMETTES CES DOCUMENTS, JE SUIS SÛR QUE L'ACCIDENT DE TRAVAIL EST FLAGRANT.
JE REGRETTE D'AVOIR LAISSÉ PASSER TANT DE TEMPS AVANT D'ENGAGER UNE ACTION.

Ben dis donc... On change de registre tout à coup...

Tu...
Tu faisais pas les choses à moitié, comme mec...

NE PARLE PAS À TORT ET À TRAVERS !
LES GAMINS COMME TOI N'ONT PAS IDÉE ...
Ah ouais ? Pff, les adultes, vous vous en sortez toujours par ce genre d'argument...
...
AH...
NE T'INQUIÈTE PAS... JE NE SUIS PAS EN TRAIN DE PARLER TOUT SEUL, EN FAIT ...

LÀ... DANS MA TÊTE...
JE PARLE À TAKUYA ...

...
TU NE ME CROIS TOUJOURS PAS ?
VOILÀ ...
MAMAN !

C'EST DÉJÀ BIEN, MICHIKO ...
C'EST BIEN ...

JE NE SAIS VRAIMENT PAS QUOI PENSER ...
J'AIMERAIS CROIRE QUE C'EST VRAI, MAIS... JE NE SAIS PAS ...

OUAH
OUAH
OUAH
OUAH

J'AIMERAIS TELLEMENT PASSER ENCORE UN PEU DE TEMPS AVEC VOUS...
JE VAIS BIENTÔT PARTIR...
MAMAN !
D'AC-CORD ?

AH... QUE C'EST BON !

ON EST MIEUX DEHORS, N'EST-CE PAS ?
À LA MAISON, C'EST LOURD.

TOMOMI ! TU TE RAPPELLES QUAND ON VENAIT ICI SE PROMENER AVEC MARU ?
OUI.

AH QUE JE SUIS CONTENT...
... DE POUVOIR ENFIN ME PROMENER AVEC VOUS ...
BAÂÂÂAN

BAAAÂÂON
GAGAN

GAGAN

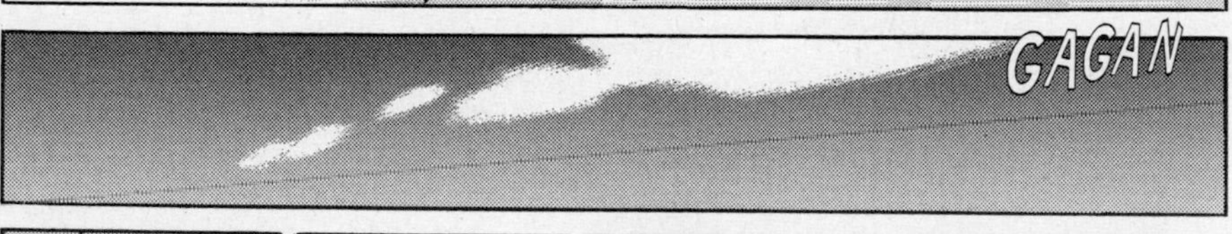
GAGAN

FOUAH

AH !
FLAP
PAPA !

PAPA !
PAPA !
OUAH
OUAH
OUAH
Non !
Attendez !
S'il vous plaît...
Encore un peu...
Ne m'emmenez pas encore...
OUAH
OUAH
OUAH

BAÂÂÂNN
OUAH
OUAH
OUAH

HAH…
HAH…

C'EST… C'EST LA LIMITE …
HAH…
HAH…
Kyûûûn

PAPA !
ÇA VA ?
OUAH
OUAH
OUAH

J'crois bien, oui…
T'en as plus pour longtemps, probable…
PAPA !

NON ?
TAKUYA ?

AH...

J'Y PEUX RIEN...
JE CROYAIS QUE SI J'Y ARRIVAIS...

JE PENSAIS QU'UNE FOIS QUE J'AURAIS REVU MICHIKO ET TOMOMI...
... JE POURRAIS ACCEPTER DE MOURIR SEREINEMENT... MAIS EN FAIT, C'EST PAS SI SIMPLE...

Oh là, dis donc... Pas de blague !
OUI.
C'est mon corps, ça...

KÛÛ KÛÛ ...

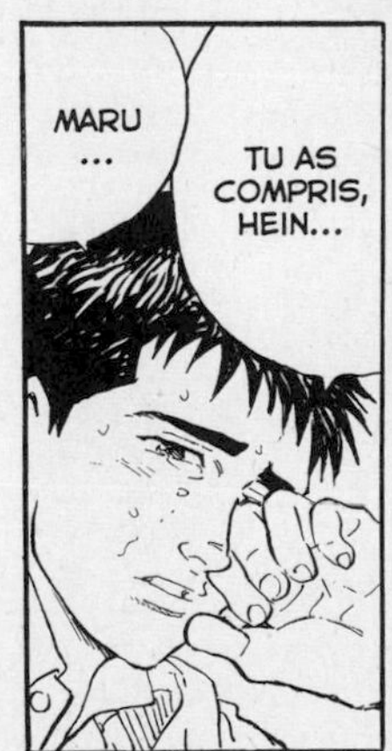
MARU ...
TU AS COMPRIS, HEIN...

OUI ...
C'EST LE MOMENT DE SE DIRE ADIEU ...
PAPA ...

PAPA ...
TU T'EN VAS ?

PAPA ...
JE VAIS LAISSER LA PLACE À CE JEUNE HOMME ...
PAPA VA BIENTÔT PARTIR...

DÉSOLÉ ...
OUI.

MAIS TU SAIS...
JE SUIS HEUREUX DE T'AVOIR REVUE UNE DERNIÈRE FOIS !
PAPA !

TU N'AS QU'À TE DIRE QUE JE ME SUIS RÉINCARNÉ EN CE JEUNE HOMME ...
TU LE SAIS TOI, PAS VRAI, TOMOMI ?

PAPA !

...
CHÉRI ...

MICHIKO ...
MAMAN ...

FSHHH

MON CHÉRI ...
BAÂÂÂNN
MERCI D'ÊTRE VENU...

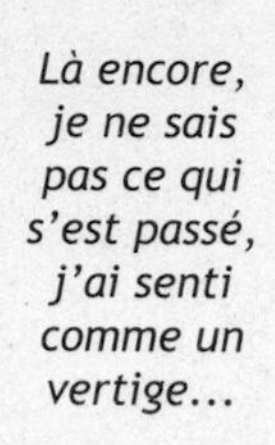
Là encore,
je ne sais
pas ce qui
s'est passé,
j'ai senti
comme un
vertige...

À vrai dire,
j'ai eu comme
l'impression
que ma
conscience
s'était fondue
dans celle
de Kubota.
Moi, je ne
ressentais
plus rien...

Son désir
était
vraiment
fort, faut
croire...

OUI...
VOUS AVEZ
RÉUSSI !
J'avais
plutôt
l'impression
de le
regarder de
l'extérieur,
comme
Kaori.

MICHIKO...
JE T'AIME...
T'AVOIR RENCONTRÉ, C'EST LE PLUS GRAND BONHEUR DE MA VIE...
MON CHÉRI ...

JE NE T'OUBLIERAI JAMAIS...
JAMAIS...

BAÀÀÀM
JE NE T'OUBLIERAI JAMAIS.

JE NE T'OUBLIERAI JAMAIS.

BAÂÂÂNN

PAPA...
TU REVIENDRAS ?
...
PAPA !
FOUAH
TAKUYA !
FLAP
OUAH
OUAH
QU'EST-CE QUI T'AR-RIVE !?
PAPA !

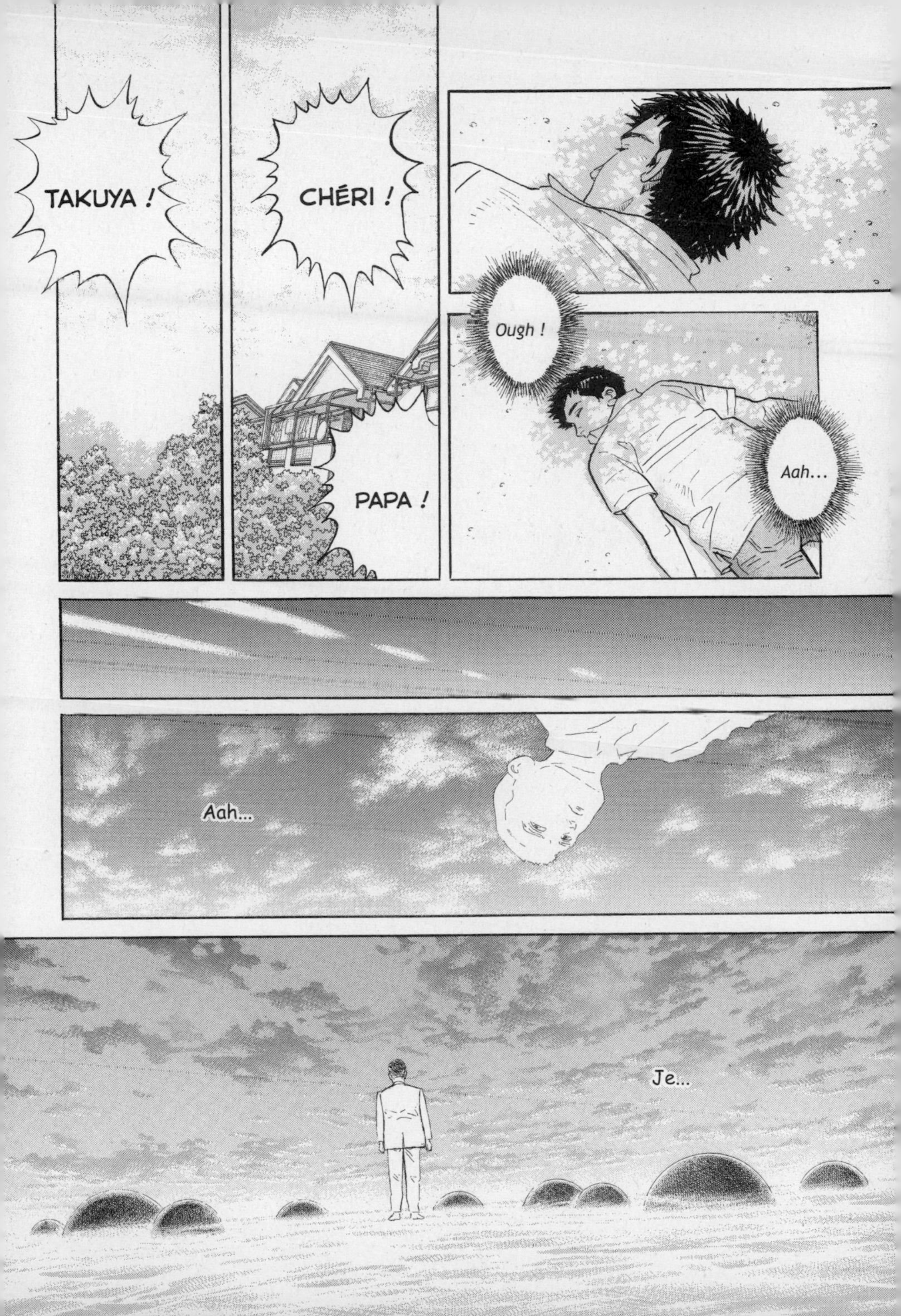
TAKUYA !
CHÉRI !
PAPA !
Ough !
Aah...
Aah...
Je...

Je ne peux plus...
... revenir en arrière...
Takuya...

BAÂÂÂNN
PAPA !
OUFFF ...
OUGH ...
TAKUYA !
PAPA !
AH !
...
PFOUH ...

Qu'est-ce
que...

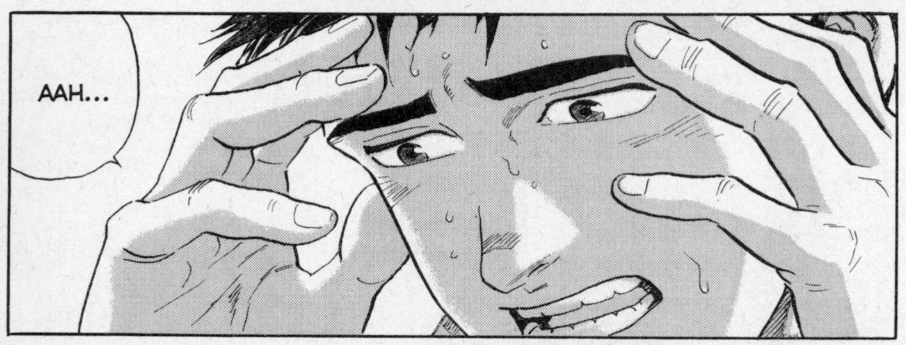
AAH...

4 septembre. Ce fut une très longue journée. Pour la première fois depuis mon accident, je suis redevenu propriétaire de mon corps.
JE... JE...
QU'EST-CE QUI M'ARRIVE !?
Mais... même devenue beaucoup plus faible, la conscience de Kazuhiro Kubota n'avait pas encore complètement disparu...

Chapitre 12 : Il nous a tant laissé

OUAH OUAH
AH...

PAF PAF
...

OH...
OUAIS ! ENFIN ! JE SUIS REVENU !
TAKUYA !

AH AH AH AH ! KAORI !
C'EST MOI !
QU'EST-CE QUE TU RACONTES ?

HEIN ? QUOI ? ATTENDS... MAIS ALORS...
QUOI ?
... ET M. KUBOTA ?
PAPA !?

Oui...
Ce moment est enfin arrivé...
Je suis content pour toi, Takuya !
Ta conscience a finalement repris le dessus...
NON NON... IL EST ENCORE LÀ ...
IL EST LÀ... DANS MA TÊTE...
Ah bon...
Je vais donc disparaître petit à petit ...

BAÂÂÂNN

Le soir venu, Kaori et moi, nous avons pris congé des Kubota en promettant de nous revoir, puis nous sommes rentrés.

C'EST VRAI !?

À la maison, poussé par Kubota, j'ai avoué à ma mère que la mémoire m'était revenue…
C'EST VRAI, TAKUYA ?
Mais enfin, Takuya !
Réponds correctement, quoi !
EUH… OUI.
C'EST JUSTE ENCORE UN PETIT PEU BIZARRE…

JE...
SI TU SAVAIS COMME JE SUIS CONTENTE !

ALORS TU...
... TU TE RAPPELLES QUI JE SUIS ?

Alors ! Qu'est-ce que tu réponds ?
EUH... OUI.

C'EST LA PREMIÈRE FOIS QUE TU ME PARLES COMME ÇA, TU SAIS...
QUELLE JOIE !

AH... JE SUIS VRAIMENT CONTENTE ...
TELLEMENT HEUREUSE ...

BOF... C'EST PAS MOI, EN FAIT... C'EST KUBOTA QUI M'OBLIGE À DIRE TOUT ÇA DANS MA TÊTE...

TAKUYA !
TU AS FINI DE RÉAGIR COMME UN GAMIN, À LA FIN ?
C'EST RIDI-CULE...
LAISSE, KAORI ! JE SUIS DÉJÀ BIEN CONTENTE COMME ÇA !

Takuya...
Tu ne vois pas comme ta mère est formidable !
Tu es vraiment un imbécile !
HEIN ? QUOI ?
Je te dis que tu ne connais pas ton bonheur, tu comprends mieux, là ?
ARRÊTE ! QU'EST-CE QUE T'EN SAIS, D'ABORD ?

Je le sais !
Ça commence à faire un bout de temps que je te suis de près, et je comprends très bien tout ce que tu ressens...

C'est juste un caprice de gosse, ton attitude...
Et tu le sais très bien, au fond.
Personne n'est contre toi, imbécile !

MOTOCROSS
Non !?
Si tu as un peu de cœur, tu peux facilement corriger tout ça !

Ah...

QUOI !?
KUBOTA !

ÇA VA ?
Oui...

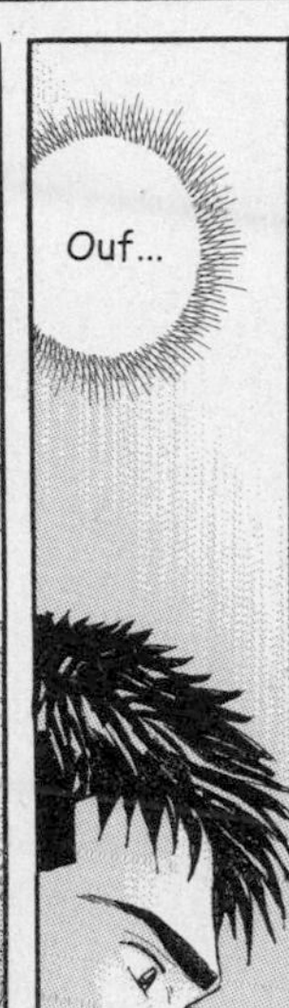
Ouf...

De temps en temps, je me sens attiré au loin...

QUE SE PASSE-T-IL ?
IL EST PARTI ?
M. KUBOTA ...
...

Ça te plaît peut-être pas tout ce que je te dis là... Je manque pas d'air, tu vas dire... Moi qui suis mort en abandonnant tout le monde...

Et une petite amie comme Kaori...
Une petite sœur...
Tu te rends compte de la chance que tu as d'avoir un père et une mère comme les tiens ?

Je ne voudrais pas que tu rendes ta famille malheureuse, comme moi je l'ai fait !
C'est pour ça... Dépêche-toi !

Mais ce miracle, tout ce qui est arrivé...

... c'est grâce à toi !
Oui, grâce à toi, chacun a pu découvrir ce qui comptait réellement pour lui...

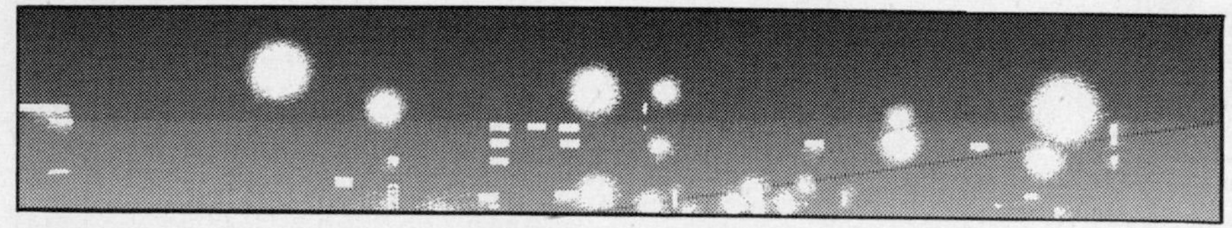

19:00 - Quand mon père est rentré du bureau, je lui ai appris la nouvelle.
C'EST BIEN VRAI !?
TA MÉMOIRE EST REVENUE COMME ÇA ? TOUT ENTIÈRE ?
OUAIS ...
COMBIEN DE FOIS IL FAUT QUE JE LE RÉPÈTE ?

Gnac
Gnac
MMH... SUPER BON !
AH... OUI... EXCUSE-MOI... C'EST TELLEMENT SOUDAIN, J'EN REVIENS PAS ...

ENFIN J'AI L'IMPRESSION DE MANGER MOI-MÊME !
ÇA FAIT DU BIEN ...

Cronch Cronch
ÇA FAISAIT LONG-TEMPS ...
ON EST FINALEMENT TOUS ENSEMBLE À MANGER, LÀ ...
EH BIEN TANT MIEUX...

APRÈS TON ACCIDENT, JE ME DEMANDAIS VRAIMENT CE QU'ON ALLAIT FAIRE...

EH BIEN TANT MIEUX, TANT MIEUX ...
PAPA ?
TU PLEURES ?

EUH ?

Ma conscience demeura encore trois jours à l'intérieur de Takuya...

Trois jours que Takuya passa entièrement avec ma famille...

Il donna le maximum de son temps
pour les passer avec Michiko et Tomomi...

Je pus ainsi parler avec elles,
par son intermédiaire...

Tomomi pense que je me suis réincarné en Takuya...

Qu'est-ce que je leur
laisserai en fin de compte ?
Un foyer modeste... Et quelques souvenirs...
Rien de plus.

7 septembre. À l'aube du troisième jour après que j'eus retrouvé le contrôle de mon corps …

WMX
MOTOCROSS

Mon sommeil fut très agité… Je fis un rêve…

AH…
KUBOTA ?
ATTENDS… TU T'EN VAS ?

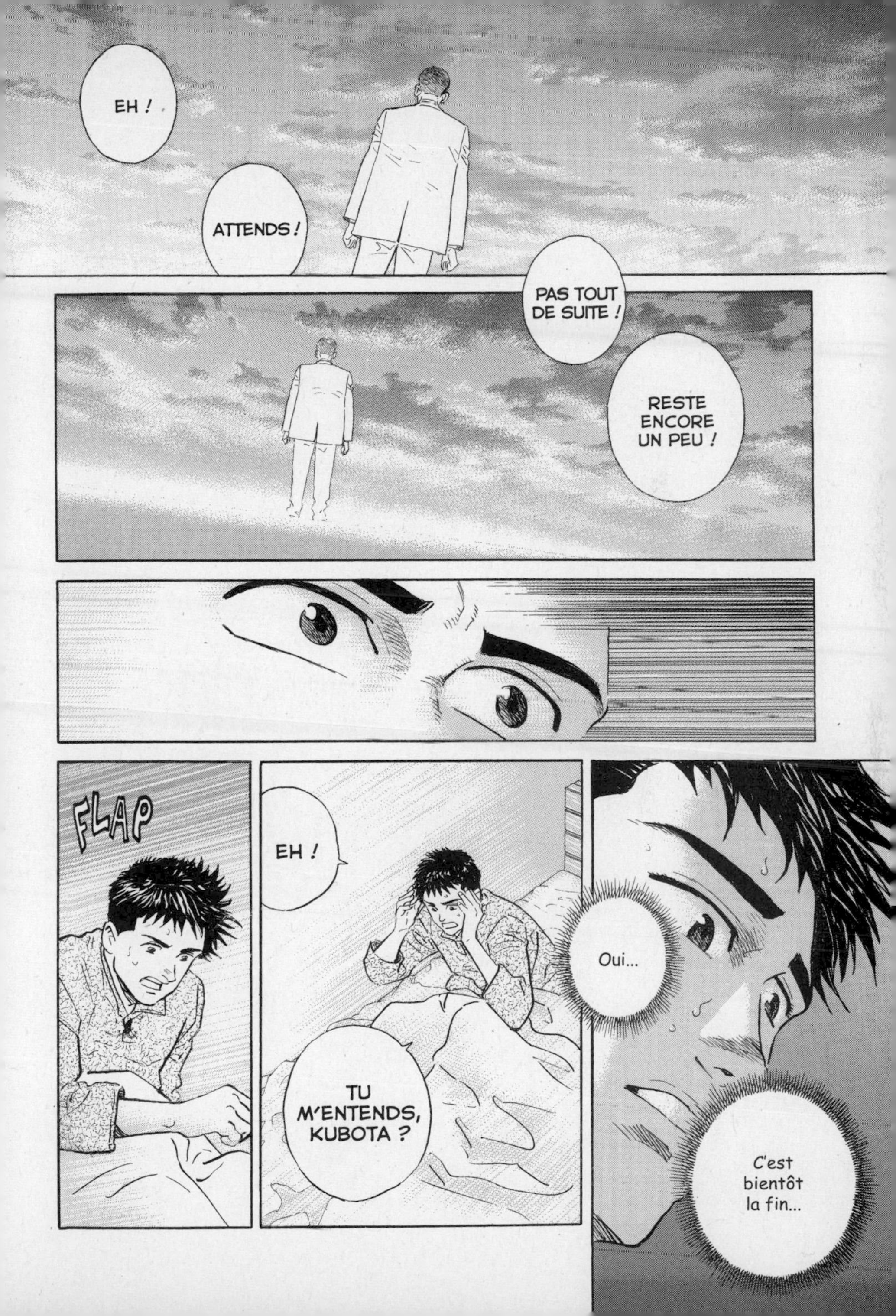
EH !
ATTENDS !
PAS TOUT DE SUITE !
RESTE ENCORE UN PEU !
FLAP
EH !
TU M'ENTENDS, KUBOTA ?
Oui...
C'est bientôt la fin...

7 septembre, 10 : 00.

MERCI D'ÊTRE VENUES...

... JE NE L'OUBLIERAI JAMAIS.
MAIS...

AH...
M. KUBOTA ...
... VA BIENTÔT PARTIR, JE CROIS...

MERCI...
... TAKUYA.
ET VOUS NON PLUS...
JE NE VOUS OUBLIERAI JAMAIS, MME KUBOTA... TOMOMI...

Ah...
Tout devient sombre...

S'il te plaît...
Laisse-moi leur dire adieu...
D'ACCORD.

TON PAPA VEUT TE DIRE AU REVOIR...
...

PAPA !

Au revoir...
... Tomomi !
Michiko... Merci pour tout...

IL DIT...
... MERCI, MICHIKO...

OUH ...

Heureusement que tu étais là ...
Tu m'as été d'un grand secours...
OUI, ELLE EST LÀ.

Et puis aussi ...
Kaori...

Merci...
Merci, Kaori...

JE SUIS CONTENTE DE VOUS AVOIR RENCONTRÉ !
KAORI...
IL VA PARTIR, C'EST ÇA ?

Et, bien sûr, merci à toi aussi Takuya...

Je te demande pardon pour tout...
Je vais quand même te demander un autre service... De temps en temps... rends-leur visite, à Michiko et Tomomi... Ça me ferait plaisir...
OUI, JE SAIS ...

BON, BEN J'Y VAIS...
RESTEZ LÀ ET REGARDEZ BIEN !
PAPA...

C'EST UN BEAU JOUR...
UN BEAU CIEL RADIEUX !

TU VAS VOIR ÇA !
FRRRR

KUBOTA !
JE VAIS TE MONTRER LE CIEL COMME TU L'AS JAMAIS VU !
VRRRRR

VRRRRR
RRRR

VRRRR
VRRRRR
VRRRR

RÔÔÔÔ

PAC

STON
STON
STON

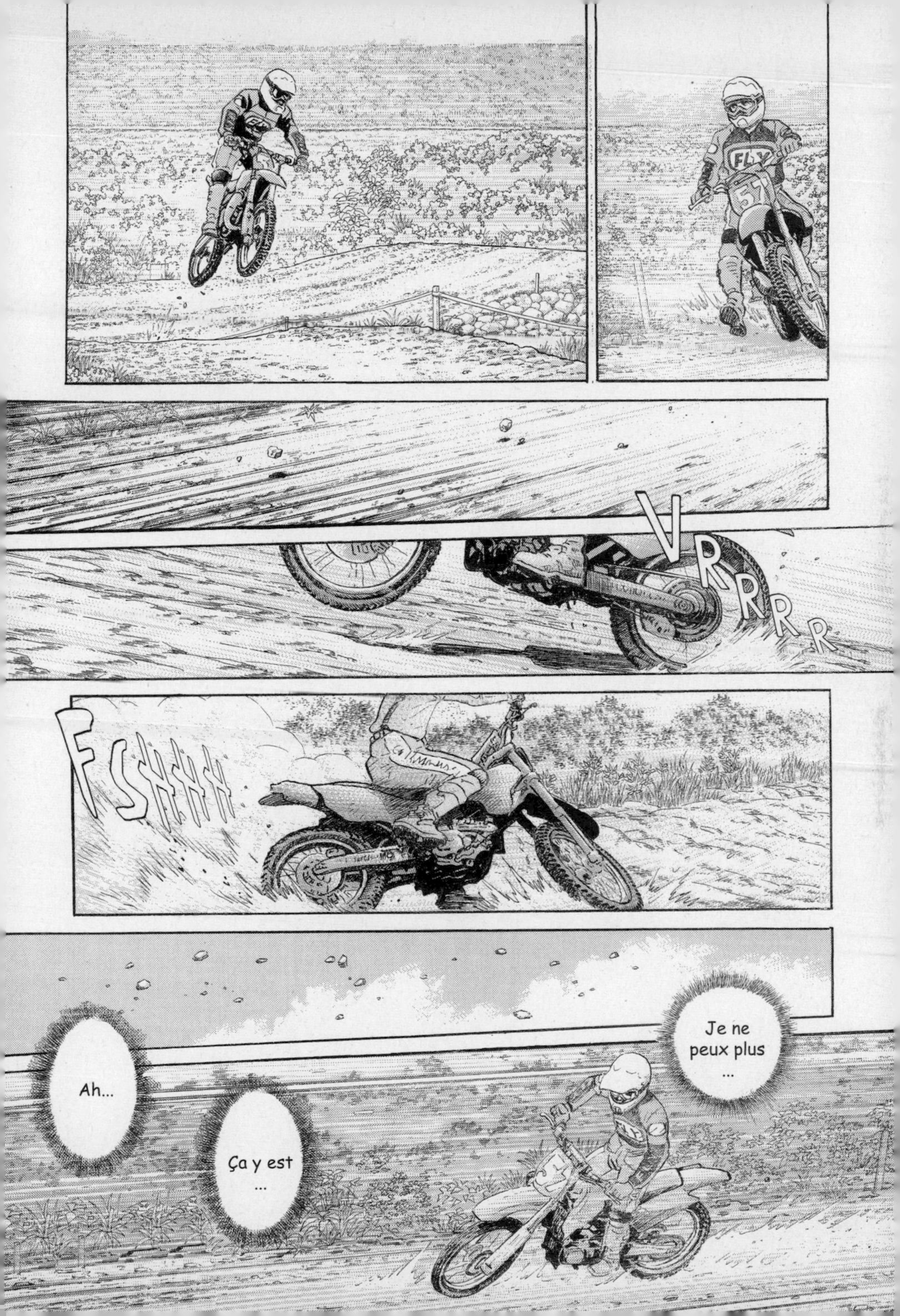
VRRRR
FSHHHH
Je ne peux plus ...
Ça y est ...
Ah...

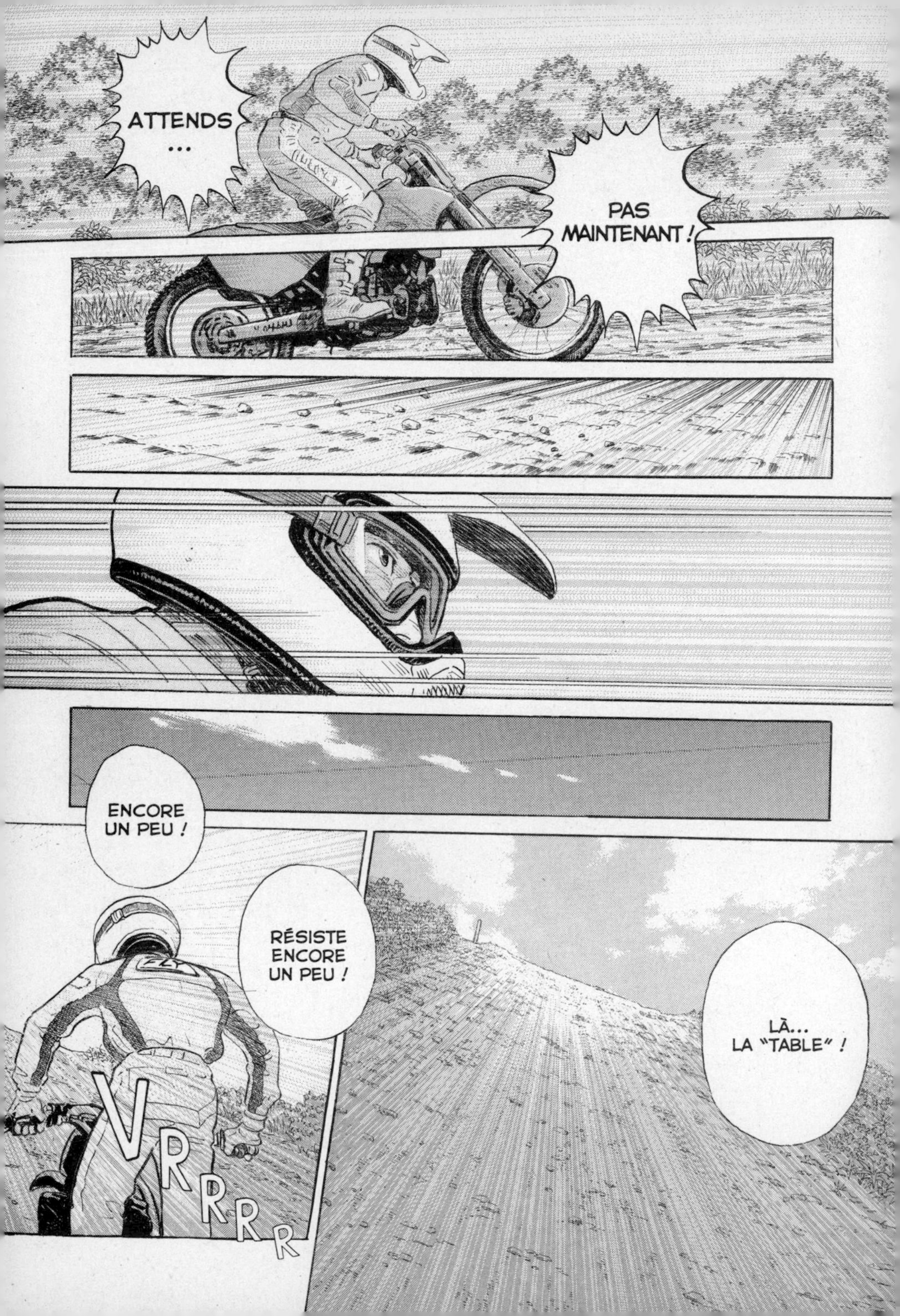
ATTENDS
...
PAS
MAINTENANT !
ENCORE
UN PEU !
RÉSISTE
ENCORE
UN PEU !
LÀ...
LA "TABLE" !
VRRRRR

VRÔÔÔÔ
OUVRE GRAND LES YEUX !
C'EST MON CADEAU !
RRRRR

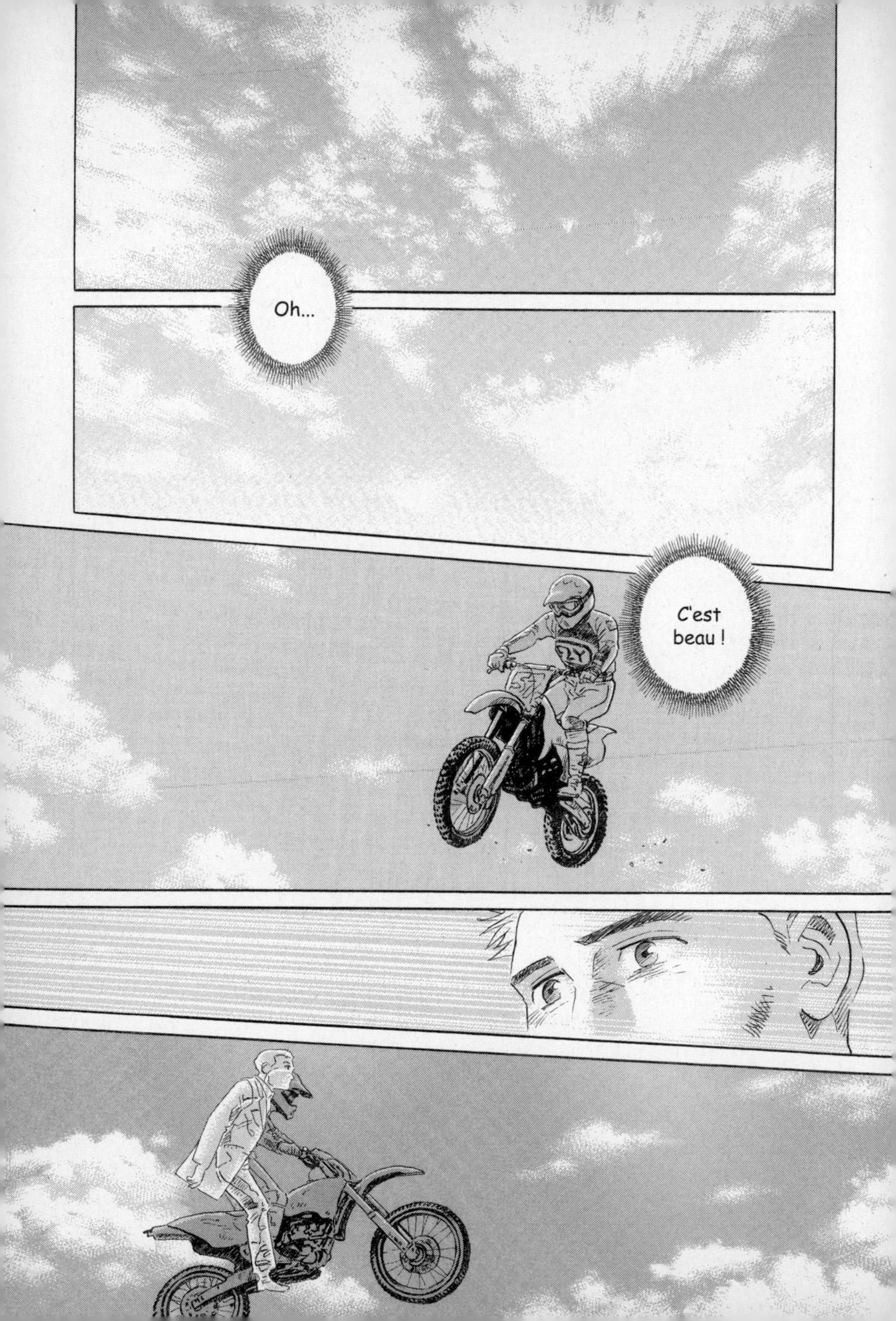
Oh...
C'est beau !

Ah...
PAPA !

Adieu...

7 septembre. Dans le ciel de cette fin d'été...

... je suis revenu à la vie... À une nouvelle vie...

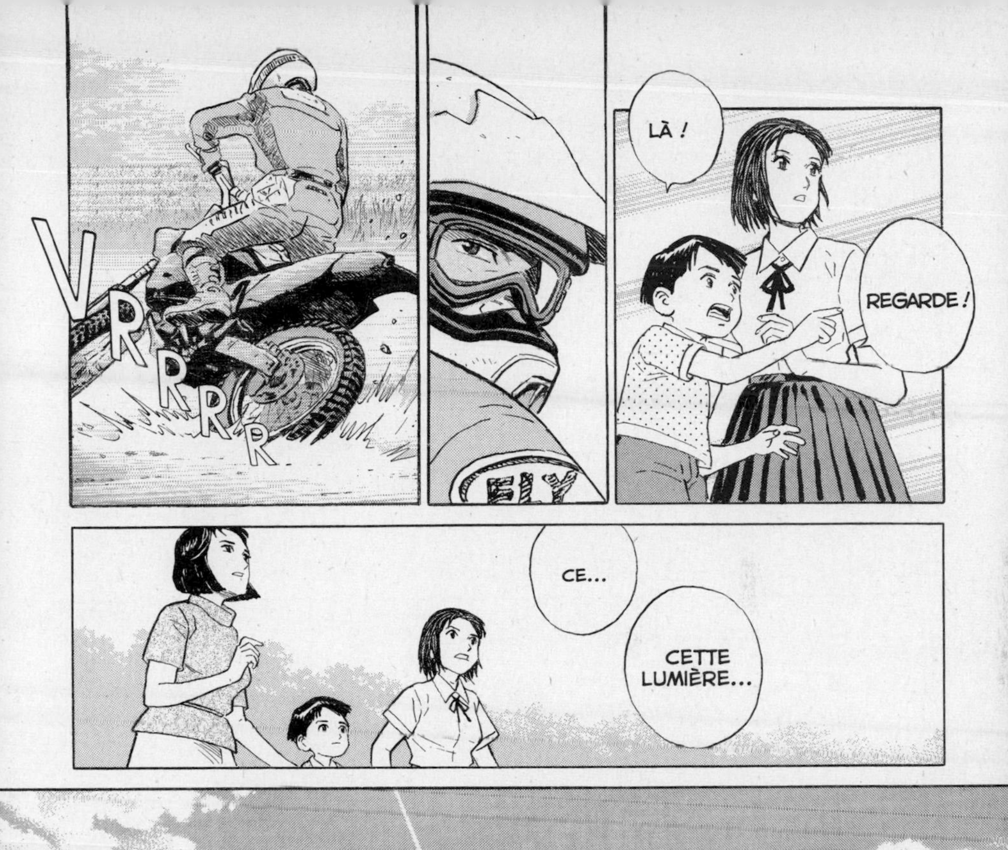
VRRRRR
FLY
LÀ !
REGARDE !
CE...
CETTE LUMIÈRE...

Kazuhiro Kubota, lui, est parti au-delà du ciel...

Plus tard, j'ai appris que le lendemain de ce jour-là...

... un ami d'enfance de Kubota, Akio Mizusawa, qui travaille à l'étranger dans une filiale d'un groupe industriel japonais, était passé chez eux.
JE NE SAVAIS PAS...
... QU'IL ÉTAIT DÉCÉDÉ...

JE...

J'AURAIS DÛ INSISTER DAVANTAGE QUAND JE LUI AI CONSEILLÉ DE DÉMISSIONNER ...
...

MAIS IL SE FAISAIT TELLEMENT DE SOUCI POUR TOUT CE QUE CELA IMPLIQUERAIT ENSUITE...

IL A REFUSÉ MON CONSEIL. "PAS MAINTENANT", M'A-T-IL DIT...
IL AVAIT LE SENS DE SES RESPONSABILITÉS CHEVILLÉ AU CORPS... C'ÉTAIT UNE DE SES GRANDES QUALITÉS, BIEN SÛR...

... MAIS FINALEMENT...
... SA COMPAGNIE NE L'A JAMAIS CONSIDÉRÉ NI PAYÉ À SA JUSTE VALEUR ...

IL DISAIT TOUJOURS...
"JE NE FAIS RIEN POUR MA FEMME ET MA FILLE..." ET ÇA LE TORTURAIT...

JE SUIS INEXCUSABLE ...
... DE VENIR VOUS PRÉSENTER MES CONDOLÉANCES SI TARD...
NON, C'EST MOI... J'AURAIS DÛ VOUS AVERTIR EN PREMIER...

MAIS EN FAIT ...
... MON MARI NE M'AVAIT PAS PARLÉ DE VOUS...
J'IMAGINE, BIEN SÛR ...

À LA VÉRITÉ...
... NOUS AVIONS DÉCIDÉ DE NE RIEN DIRE À NOS FAMILLES RESPECTIVES... MAIS NOTRE PROJET EST DÉSORMAIS UN SUCCÈS !
...

OUI... LA TECHNOLOGIE DE KUBOTA A FINALEMENT PORTÉ SES FRUITS !

SON EXPERTISE EN ÉLECTRICITÉ ÉTAIT VRAIMENT HORS DU COMMUN, ET APRÈS PLUSIEURS ANNÉES DE RECHERCHE ET DE DÉVELOP-PEMENT...
... IL A RÉUSSI À METTRE AU POINT LA PREMIÈRE APPLICATION GRAND PUBLIC D'UN APPAREIL À BOBI-NAGE À INDUCTION THERMIQUE.

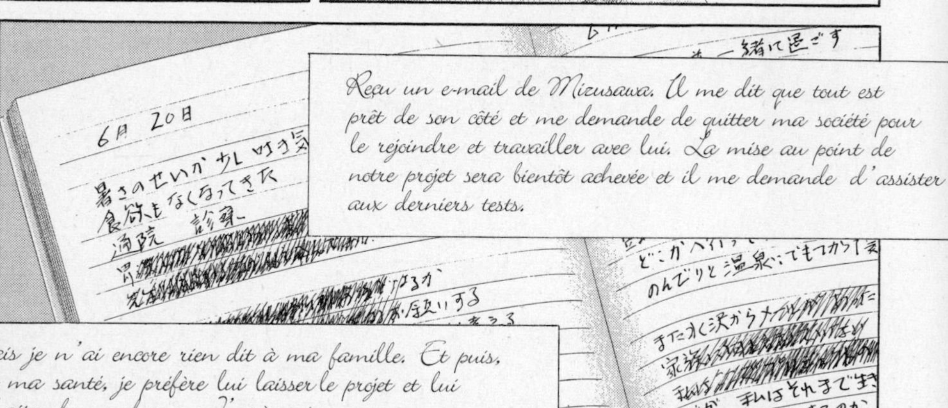
Reçu un e-mail de Mizusawa. Il me dit que tout est prêt de son côté et me demande de quitter ma société pour le rejoindre et travailler avec lui. La mise au point de notre projet sera bientôt achevée et il me demande d'assister aux derniers tests.
6月 20日
Mais je n'ai encore rien dit à ma famille. Et puis, avec ma santé, je préfère lui laisser le projet et lui souhaiter bonne chance. J'espère vivre encore assez longtemps pour voir ça. Est-ce que ça marchera ? Je l'ignore...

CETTE APPLICATION A DONNÉ LIEU À TOUTE UNE SÉRIE DE CONTRATS ENTRE NOTRE COMPAGNIE ET LES PRINCIPALES ENTREPRISES DU SECTEUR EN EUROPE ET AUX ÉTATS-UNIS...
CLAC
KUBOTA N'ÉTAIT PAS UN DE NOS EMPLOYÉS...

... MAIS RIEN N'AURAIT ÉTÉ POSSIBLE SANS LUI.

AUSSI, NOTRE COMPAGNIE ...
... JUGE LÉGITIME DE LUI ACCORDER DES ROYALTIES À HAUTEUR DE 5 % DES PROFITS LIÉS À CETTE APPLICATION.
C'EST UNE JUSTE RÉTRIBUTION POUR UN BREVET ÉLABORÉ AU PRIX DE SA VIE.

JE VOUS PRIE DE L'ACCEPTER EN SON NOM...
... COMME UN CADEAU DE SA PART...
MON DIEU, IL NOUS A MÊME...

PAPA !
MARU !
OUAH
OUAH
OUAH

TOMOMI !

Chaque fois...

Chaque fois que
je regarde le ciel,
je repense à ce
qui s'est passé...

Mais qui croira mon histoire ?

POSTFACE

Un ciel radieux est désormais achevé. Que pourrais-je ajouter ? Il me suffit de penser que le lecteur, après la découverte de ce récit, se sentira peut-être ému.

Toutefois, si je devais apporter un commentaire, je dirais ceci : je crois que dans le cours de toute existence, certains événements, certaines expériences sont capables de nous faire changer notre façon de vivre. Ces événements, ce sont ceux au cours desquels on retrouve la conscience objective de soi-même, sa nature profonde, au-delà du personnage que l'on incarne dans les conventions de la vie quotidienne.

Ce que j'ai voulu dire au lecteur avec *Un ciel radieux*, c'est que de tels instants ne sont pas réservés à certains mais arrivent à tous. Ai-je réussi ?

Au point de départ de cette histoire, il y a l'idée que chaque être humain, au cours de sa vie, peut découvrir les quelques choses essentielles, une ou deux tout au plus, qui comptent réellement pour lui.

J'ai imaginé un homme qui va mourir et qui, avant de s'en aller petit à petit, parvient à ramasser tout ce que son cœur insatisfait allait laisser dans un état d'incomplétude. J'ai eu envie d'écrire le frissonnement du cœur de celui qui accompagne un proche aimé à l'instant de sa mort, et la renaissance de l'âme.

Au moment où je terminais *Un ciel radieux*, au début de l'hiver, notre chatte est morte. Bien sûr, on ne possède pas un animal domestique sans savoir qu'il mourra un jour. On croit savoir à quoi s'attendre, et pourtant, quand cela arrive, on se trouve bouleversé plus qu'on ne l'aurait cru.

Il y a quinze ans déjà, pendant l'hiver 1990, la mort de notre premier chien m'avait tellement éprouvé que je m'étais juré ne plus jamais avoir d'animal. Puis je me suis trouvé presque forcé d'accepter une chatte. Un chat persan dont personne ne voulait. Moi qui ne connaissais que le chat japonais, à poil court, cet animal à la tête étrange et aux longs poils me surprit au premier abord. Pour moi, c'était plus une sorte de chien à museau écrasé qu'un chat. Je l'appelai Boro (« en loques »), ce qui allait bien avec sa couleur et son apparence. Elle avait environ un an quand on nous l'avait donnée et nous vécûmes ensemble les quinze années qui suivirent*.

Boro était d'un naturel lent. Elle n'avait pas du tout l'agilité féline que je m'attendais à trouver chez un chat. Mais avec ses mouvements drôles et amusants, elle avait le don, même sans rien faire de particulier, d'apporter la sérénité autour d'elle par sa seule présence. Quand je rentrais chez moi après une journée de travail, j'étais sûr de toujours la trouver à m'attendre.

Avec un tel animal à mes côtés, j'étais heureux. Je croyais que cela allait durer indéfiniment. Je ne pensais pas que cette présence pouvait m'être enlevée. Je ne voulais pas y penser.

Mais les animaux, comme les hommes, perdent leur mobilité en prenant de l'âge. Un jour, Boro finit par perdre entièrement l'usage de ses pattes de derrière. Elle continuait cependant à marcher grâce au seul usage de ses pattes de devant. Ma femme et moi lui faisions des massages journaliers sur ses pattes malades, mais sans résultat.

*Cette histoire a été mise en bande dessinée par Taniguchi lui-même dans *Nos Compagnons* (Casterman, collection Écritures, 2019).

Puis, une dizaine de jours plus tard, elle fut prise de spasmes et ne put plus bouger. De sa couche, elle continuait pourtant à réclamer ses repas, avant de perdre complètement l'appétit et de tomber dans le coma.

Nous espérions toutefois son rétablissement. Nous voulions qu'elle vive, même sous cette forme amoindrie. Le vétérinaire venait la voir tous les jours, mais sa vie arrivait à son terme et elle mourut.

Ce n'était pas la première fois que j'assistais à la mort, la mort d'êtres humains aussi bien que la mort d'animaux. Et pourtant, même devant la mort au terme d'une vie longue et bien remplie, c'est toujours le même scandale, avec la tristesse pour seule réaction.

Encore maintenant, perdre tout à coup un être qui a vécu près de soi, c'est un grand trou qui s'ouvre. Mais on ne peut pas vivre non plus avec cette béance dans le cœur en permanence. Cela prend longtemps pour accepter en soi la disparition d'un être aimé. Et je crois que c'est en mettant de l'ordre dans ses sentiments, en surmontant sa détresse et en prenant un nouveau départ, que l'on grandit.

Un ciel radieux est donc aussi le récit d'une famille qui décide de dépasser une mort impensable. Et même si l'histoire en est un peu étrange, j'ai voulu représenter avec les moyens de la bande dessinée les conflits et les tiraillements du cœur, l'affliction qu'il y a à accepter la mort d'un être, et ce qu'il faut faire pour partir sans laisser aucun conflit intérieur non résolu derrière soi.

Mon état, en travaillant à ce récit, a été celui de la ferveur.
Je forme le vœu qu'elle se communique au lecteur.

Novembre 2005
Jirô Taniguchi

DÉCOUVREZ LES INCONTOURNABLES DU ROMAN GRAPHIQUE

CRAIG THOMPSON
habibi
casterman

CATEL & BOCQUET
OLYMPE
DE GOUGES
casterman

1939, Afghanistan. Une voyageuse européenne tombe amoureuse d'une archéologue, alors que la radio annonce le début de la Seconde Guerre mondiale. 2016, Allemagne. Karsten, jeune homme passionné d'Orient, rencontre Nayla, une réfugiée syrienne, dont il s'éprend, malgré leurs différences. À travers ces deux récits entremêlés, deux histoires d'amour atypiques se tissent au fil des pages, alliant les contraires et rapprochant des êtres qui n'auraient jamais dû se croiser.

Entre Bâmyân et Berlin, hier et aujourd'hui, l'amour comme la plus belle des aventures.

« Un album tout de nuance
et de délicatesse. »
FRANCE CULTURE

« Un récit bouleversant. »
LES INROCKUPTIBLES

Édition française publiée avec l'autorisation de FURARI Co.,Ltd
par l'intermédiaire du Bureau des Copyrights Français, Tokyo.

Conception graphique : Studio Casterman BD

www.casterman.com

ISBN : 978-2-203-22480-3
N° d'édition : L.10EBBN003386.N001

Achevé d'imprimer en janvier 2021 par Jouve Print – Dupli-Print Mayenne (733, rue Saint-Léonard, 53100 Mayenne, France) - 2961005D sur du papier Holmen Book 75 60 g. Ce papier est composé de fibres naturelles, renouvelables, recyclables, et fabriquées à partir de bois provenant de forêts gérées durablement. Dépôt légal : mai 2021 ; D.2021/0053/103.